经典科学系列

可怕的科学
HORRIBLE SCIENCE

受苦受难的科学家
SUFFERING SCIENTISTS

〔英〕尼克·阿诺德/原著 〔英〕托尼·德·索雷斯/绘 郭景儒 邓其仁/译

北京出版集团

北京少年儿童出版社

著作权合同登记号

图字:01-2009-4318

Text copyright © Nick Arnold

Illustrations copyright © Tony De Saulles

©2010 中文版专有权属北京出版集团，未经书面许可，不得翻印或以任何形式和方法使用本书中的任何内容或图片。

图书在版编目(CIP)数据

受苦受难的科学家/（英）阿诺德（Arnold，N.）原著；（英）索雷斯（Saulles，T. D.）绘；郭景儒，邓其仁译. —2 版. —北京：北京少年儿童出版社，2010.1（2024.10 重印）（可怕的科学·经典科学系列）

ISBN 978-7-5301-2372-0

Ⅰ.①受… Ⅱ.①阿… ②索… ③郭… ④邓… Ⅲ.①科学家—生平事迹—世界—少年读物 Ⅳ.①K816.1-49

中国版本图书馆 CIP 数据核字（2009）第 183447 号

可怕的科学·经典科学系列
受苦受难的科学家
SHOUKU SHOUNAN DE KEXUEJIA

［英］尼克·阿诺德　原著

［英］托尼·德·索雷斯　绘

郭景儒　邓其仁　译

*

北 京 出 版 集 团
北京少年儿童出版社 出版
（北京北三环中路6号）
邮政编码.100120

网　　址：www . bph . com . cn

北京少年儿童出版社发行
新 华 书 店 经 销
三河市天润建兴印务有限公司印刷

*

787 毫米×1092 毫米　　16 开本　　14 印张　　70 千字
2010 年 1 月第 2 版　　2024 年 10 月第 64 次印刷
ISBN 978 - 7 - 5301 - 2372 - 0/N · 160
定价：29.00 元

如有印装质量问题，由本社负责调换
质量监督电话：010 - 58572171

目 录

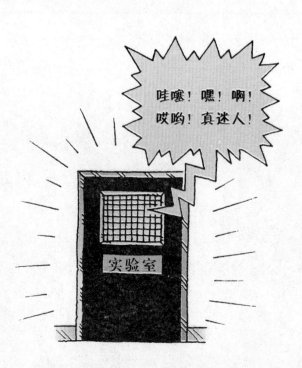

想成为科学家吗

又是一天，又是一堂自然科学课。当你听着老师极其单调而又乏味的声音，你就有点儿犯困了。教室又舒适又温暖，搞得你还没有听懂老师讲的内容，就快睡着了。后来你真的睡着了，还做着梦……

梦见了你成为一名著名的科学家……

然后，你就被推醒了……

1

这个梦引起了你的思考。当一个科学家真的值得吗？如果展开辩论的话，正方的理由就是：当科学家能够赢得荣耀和名望，并且带来完成伟大发现后的激动……反方的理由是：科学是可怕的，科学家为了科学而受的苦，就像你在自然科学课上受的苦一样。你知道吗？曾经有一个科学家还被砍了头，有些科学家则被他们发明的化学物质毒死了，还有一个科学家跳进了火山口。这样一来，你还想冒险当科学家吗？那是不是太危险了？

好了，在你作出决定之前，或许你应当读读这本书。这是一本可怕的科学书，它充满了令人毛骨悚然的真事。告诉你有关科学的可怕真相。噢，打住……看来你已经在读它了！好，那我就不妨碍你了……

可怕的健康警告！

下边是令人讨厌的……

古代科学家的故事

科学从这里开始

在你决定是否成为科学家之前，你需要知道科学是什么，以及科学是从哪里来的。噢——你认为有关科学的事你都知道吗？那好，如果某个人问你……

你会如何回答？

a）一堂令人生厌让我昏昏欲睡的科学课。

b）那些穿着白大褂，吐字不清楚的家伙们所做的那些事情。

c）用试管做的某些事情。

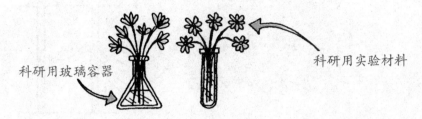

科研用玻璃容器　　　　　　　　科研用实验材料

　　虽然这些答案都或多或少涉及科学的某些特点，但都没能概括出科学的本质。因此，无论你回答了a）、b）还是c），你最好接着读……

艰难的科学档案

　　名字：科学

　　基本事实：实际上"科学"这个词有两个含义：

　　1. 科学知识，你在科学书籍中找到的那些。

　　2. 为发现科学知识而用到的一些科学方法，包括观察、数学计算、实验。

　　艰难的细节：因此，你觉得科学似乎并不复杂，甚至很容易？实际上不是这样。你接着读吧……

　　让我们想象一下：你已经是一位科学家了，并且当你在厕所蹲着的时候，你突然想出一个闪光的科学思想（当然了，你当时肯定因为成功而兴奋得满脸通红）。

5

快别逗了！

你认为当一个科学家不是那么容易，是吗？为了证明你的伟大思想是一个真正的科学事实，而不是一时头脑发昏，你不得不用那些令人厌烦的老的科学方法。可能包括这些……

▶ 进行多年的耐心的观察。

▶ 和可怕的复杂的数学进行斗争，列出一个公式去解释你的发现。

▶ 还要进行没完没了的实验。

那么你还认为你想……

痛苦的表述

那么,什么是假说呢?

答案

　　假说是一个还未被证明是错误的科学思想的体面的术语。定律是一个已被承认是真理的事实。几条定律被放在一起就成为理论,科学家们用它去解释世界。明白了吗?

不过,科学方法又是从哪里来的呢? 肯定是在有科学家之前的某个时间吧。

愉快的想法

从前，那是很久以前（比如说你出生前20 000年吧），那时还没有像科学那样的事情，因此也没有科学家，并且肯定也没有科学课，哈！那不是很令人愉快吗？

在那时，人们对周围事物是那样的好奇，就像现在两岁左右的孩子。他们有很多的发现，例如火。早期的人类可能是从火山得到的火种，而且他们很快就发现，用火做饭和取暖是很好的办法，并且火还使得猛犸肉嚼起来更容易。然后，他们学会了如何通过摩擦小木片来生火。因为科学方法在那时还没有被发明出来，所以，这些发现都是用尝试法取得的……正如我们即将揭示的那样。让我们看一看石器时代的一个普通家庭，这就是乌格斯一家……

乌格斯……一个闪光的想法

我们试试往油里加些小木条。我想小木条会吸起热油，点着了就会有漂亮的火苗。

你真是个天才，妈妈！

这就是老式的尝试法。

大约公元前5000年，一些自命不凡的人就在想一些有深刻意义的问题，像"我们是从哪里来的？"——这类问题也是以后的科学家想要知道的。这些人就是祭司（古代的神职人员）。注意，那时在世界各地的古代城市里，祭司是很有权势的人物，他们在神殿里工作，给国王出主意。

古代的祭司

今天的牧师

他们经常向上帝献祭动物，中美洲和中东的祭司在危急情况下，通常会杀死儿童做祭品。所以，如果你的邻居祭司过来，手里拎着一把刀，嘴里嘟哝着"小祭物"，那他可不是来募集教堂基金的。祭司们认为，杀死儿童是使上帝高兴的唯一办法。在那个时代，祭司们认为他们的上帝可以做任何事情，比如说，上帝可以发出闪电。

即使在那段岁月里，仍有一些人在思索，他们有点儿像现在的科学家。从大约公元前2500年起，在古代埃及、中东以及中国出现了一些有天赋的数学家，他们几乎都在做同一件事情，那就是进行准确的计算。

当然了，科学家们也要进行计算。

用自然的概念而不是用上帝去解释事物的第一人，肯定生活在古代的中国或希腊。待会儿我们就去希腊，但是在此之前让我们先去中国做一次快速旅行吧，那儿曾经完成了许多令人惊异的发现。但麻烦的是，他们的许多发现在世界别的地方没人听说过。

但是你能——只要接着读就行了。

苦难的中国人

有好几百年的时间，中国人不断搞出令当时欧洲人啧啧称赞的发明。古代中国的发明家搞出了许多东西，其中就有风筝（前390）和手推车（前400）。但是对于中国的思想家和发明家来说，生活从来就不是一帆风顺的，就像你下面所看到的……

中国：与科学有关的坏消息

中国被父传子承的皇帝所统治，这些皇帝为所欲为，唯我独尊。在古代，人们还不能预言日蚀（就是太阳被挡在月亮的后面）。据传说，有两个宫廷天文学家由于未能预见日蚀的发生，竟被皇上下令处死了。

还有一个皇上，秦始皇（前259—前210），他不喜欢古书。在公元前212年，他下令将所有古书都烧掉，为的是把那些能够用于反

对他的危险的知识都消灭掉。中国古代科学的许多知识在烟火中消失了。噢，太好了，那就成了我们不做家庭作业的最好的借口了。

但是残暴的皇帝还不是中国思想家需要面对的唯一难题。

▶ 中国是一个很大的国家，出现的新思想却不能从学者的小圈子里向外广泛传播。

▶ 从欧洲到中国旅行是很困难的。你不能坐上飞机直飞北京，你得花好几个月，骑在脏乎乎的骆驼背上，穿过盗匪出没的沙漠和高山。这样一来，在欧洲和中国之间传播有关新发现的消息，实在太难了。

▶ 中国史书的作者热衷于记录皇上的丰功伟绩，对于那些搞出发明的下等人的名字却不感兴趣。因此，许多天才的中国人被彻底遗忘了。伟大的中国发明家发明了用烟熏屋子的方法消灭病菌（前600年——我认为他们该受到称赞），发明了制造瓷器的方法（大约700年，这更是一个真正了不起的发明）以及养蚕来制造丝绸（前2600年，他们可真棒），但是现在没有一个人知道这些发明家是谁。

考一考你的老师

a）1922年

b）1743年

c）公元前1世纪

答案

c），他们用带有铸铁尖头的竹竿制成了钻探装置，以每天2.54厘米的很慢的速度在岩石上钻孔（这么慢，太烦人了），一直钻到1400米的深度。中国的工匠以这种方法寻找咸水以生产食盐。但是，有时他们竟然打出了天然气。于是，他们就用天然气煮沸咸水，水分蒸发后就得到了食盐。

旷世奇才——张衡

通常没有人知道这些天才科学家的名字，这实在令人悲哀。但是，有一位伟大的中国科学家还是被人记住了，他就是天文学家张衡（78—139）。

我的发现

张 衡

在我开始研究以前，人们相信月亮是一个女神，她能发出有魔力的光，他们还认为发生日蚀是因为天狗要吃太阳。经过仔细的观察和大量的科学计算，我证实了：

1. 由于太阳光照射到了月亮上，月亮才发光的。

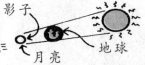

影子　月亮　地球

2. 当地球运行到月亮和太阳之间时，就发生了月蚀，那是太阳光在月亮上投下了地球的影子。

3. 我还制造了一个能探测地震的仪器。当地震发生时，就从一个龙嘴里掉下一个球，球掉落的方向就是地震的方向。

你肯定不知道！

中国人还有一个重要的发明是火药，是在大约250年发明的。在当时，火药主要用于制造烟火，也可以作为武器吓唬敌人的马匹。但是，让人惊奇的是，我们不知道是谁完成的这个伟大的发明。不管他是谁，他肯定被他发明的东西炸翻过。

发明家竞赛现场

让我们回到欧洲。在这期间，那里有一个独立的科学体系在发展，这种体系最终导致探月火箭发射升空。这个科学体系是从一个神秘的、鲜为人知的天才开始的。想知道他是谁吗？

那就接着读，找到他……

多才的泰勒斯

　　古代的希腊人确实是活跃的、爱跳舞的、快乐的人民，他们完全被各种思想所陶醉。他们是思想家、作家和早期科学家，都忙于杜撰新的理论去解释地球上的各种活动。其中，最有才能的一个希腊人就是泰勒斯。他生活在希腊城市米里图斯，该城市现在属于土耳其。

可怕的科学荣誉殿堂

　　泰勒斯（前625—前547）国籍：希腊

　　像现代科学家那样通过自然的原因和结果去解释事物，而不是像一个牧师那样根据宗教来解释，泰勒斯肯定是第一个人。有一天，泰勒斯在摩擦一块琥珀，他发现摩擦后的琥珀有一种神奇的力量，能吸引小东西，这种力我们现在叫静电。如果你意外地接触一块被摩擦过的琥珀，它甚至会电你一下。

上帝生气了。

你们那样说，说明你们什么都不懂！

瞧，他生气了。

没有人知道泰勒斯是不是第一个挨电击的人。但是，像摩擦琥珀会产生电这种事，他认为是由于自然的原因而不是神的力量造成的，我们相信他是第一个持有这种观点的人。

泰勒斯准是一个非常忙的人。

▶ 有一个故事说，他曾经访问过埃及，还跟当地祭司学习过几何学（几何是专门研究各种图形的学问，是数学的一个分支）。他还第一个把这门学问教给希腊人。幸运的希腊人，是吗？我不这么认为。还不止这些呢，泰勒斯还是……

▶ 一个政治家，他曾提议设立地区议会。

▶ 一个商人，他用他的科学知识去赚钱。他用一块天然磁石给船导航。

你肯定不知道！

还有另一个故事。泰勒斯的邻居曾经嘲笑他对科学的痴迷，但是泰勒斯利用他的科学知识，预言橄榄将有好收成。于是，他买下了所有用于榨橄榄油的压榨机，并因此发了大财。

水的大错

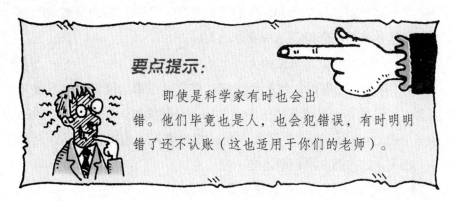

要点提示：

即使是科学家有时也会出错。他们毕竟也是人，也会犯错误，有时明明错了还不认账（这也适用于你们的老师）。

那么，本书会告诉你，科学家都是怎么犯大错误的。下面讲的就是泰勒斯曾经犯的一次错误。

泰勒斯断定地球是漂浮在水中的。当水起了波涛，你就会觉得地震了。

错了——

但是不完全错。现代科学家知道，我们踩着的地球表面是由广阔的横跨几千千米的岩石层拼成的，这个岩石层漂浮在它下面的熔化的岩浆上。看得出，至少泰勒斯对于发生的某些事情进行过逻辑的思考。

更加苦难的希腊人

在古希腊有许多受过良好教育的富人，他们不必为了生计而工作，他们拥有奴隶给他们摘葡萄，甚至还给他们剪脚指甲。你如果有一个自己的奴隶是不是会非常愉快？你甚至能派你的奴隶去替你上学。由于没有什么事干，一些比较聪明的古希腊人，就有很多时间去思考新的想法。其中，有些人开始有了科学思想……

德谟克利特（前460—前380）确信原子是宇宙中存在的最小实体，但是他未能用任何实验去证明原子的存在。他直觉地认为，一定有什么东西是最最小的，小到你再也不能把它切成两半，这种想法在逻辑上是成立的。

艰难的科学档案

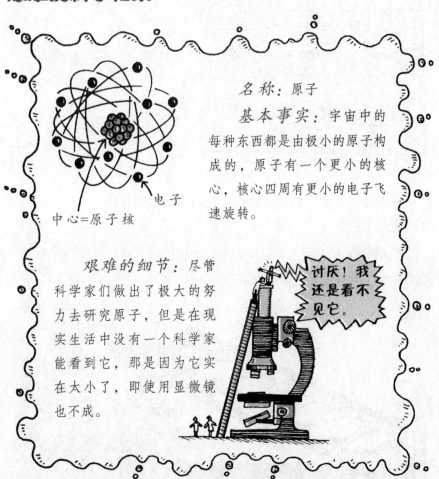

名　称：原子

基本事实：宇宙中的每种东西都是由极小的原子构成的，原子有一个更小的核心，核心四周有更小的电子飞速旋转。

电子

中心=原子核

艰难的细节：尽管科学家们做出了极大的努力去研究原子，但是在现实生活中没有一个科学家能看到它，那是因为它实在太小了，即使用显微镜也不成。

讨厌！我还是看不见它。

埃拉托色尼（前276—前194）在埃及的亚历山大城工作，是一个图书管理员。他最伟大的成就就是计算出了地球的大小。他用的方法是测量埃及的两个地方正午时太阳角度的差值，这个差值是由地球表面的弯曲造成的。为了完成他的计算，埃拉托色尼命令一个奴隶从亚历山大徒步走到另一个城市西奈，两地距离大约820千米，并且要每走一步数一个数。剩下的事就是数学计算了。埃拉托色尼大大出名了，而他的奴隶可能只得到了一瓶难闻的脚伤药膏。

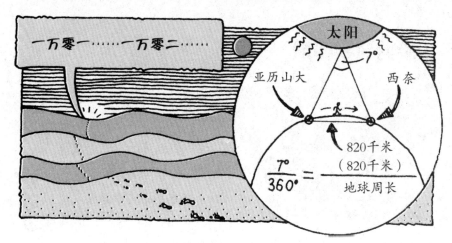

真聪明，是吧？但是埃拉托色尼后来却贫病交加，双目失明，悲惨地度过了余生。

阿基米德（前287—前212）是一个全能的天才，他发明了滑轮，还有用一个旋转的螺旋提水的方法。

但是他的最伟大的成就是提出了浮力原理。这个原理可以表述为：水对水中物体的支持力等于物体排开的水的重量。

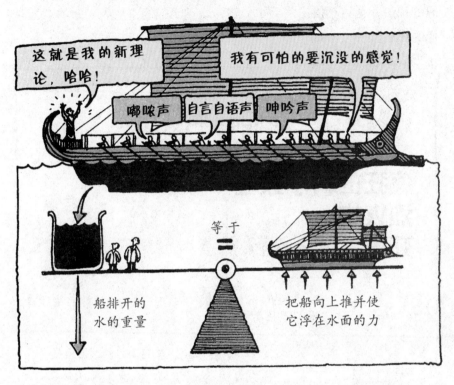

浮力原理是阿基米德在澡盆里洗澡时发现的，这只是某些人的猜测。又老又穷的阿基米德在公元前212年时丧了命，那时他住的城市叙拉古被罗马人占领了。阿基米德和一个罗马士兵发生了一点小误会，结果就挨了那个士兵一剑。

恩培多克勒（前490—前430）有着广泛的兴趣——政治、药学和占卜未来（此项服务是收费的）。

他在科学上广为人知的贡献是，他断言世界万物是由土、气、火、水或是这几种东西的混合物构成的。后来的科学家们对于这种荒唐的说法，竟然相信了两千年。然而，关于他的更广为人知的事情是他的死法。

公元前430年

希腊信使报

疯狂的科学家在烈火中死亡

特派记者
欧契米托斯

著名的思想家恩培多克勒死了，他死在西西里的埃特纳火山口内。这位疯狂的科学家跳进火焰熊熊的火山口内，伴随着疯狂的尖叫变成了一个神。

恩培多克勒，60岁，他一直奇怪地自诩是世界上最伟大的思想家，并声称如果跳进火山口，他就能成为一个神。

一个震惊的追随者给这个伟大的人致悼词："恩培多老先生是土、气、火、水的混合物，但是现在他多半已成了灰烬。恐怕他没有能够成为一个神，尽管他的名声在火焰中如此高涨。"

震惊的追随者

但是，恩培多克勒不是唯一一个命运多舛的古代希腊科学家。

致命的秘密

叙拉古，公元前405年。

一声恐怖的尖叫响遍整个宫殿。侍卫们冲进大殿，女奴们蜷缩在阴影中。外面一个小奴隶用一块粗糙的亚麻布不停地擦着眉毛。

"太可怕了，太可怕了！"他大叫。

"出什么事了，亚历山大？"老看门人焦急地问。"太可怕了，把我吓死了！"小奴隶喘着气，身子斜靠在柱子上。他脸色惨白，冷汗淋漓。老看门人摇着小奴隶的肩头，急切地问："究竟什么可怕？那儿发生什么事了？"

亚历山大深深地吐出了一口气。

"那是斯巴达女人泰米恰，就是狄奥尼西奥斯国王掠来的那个，你记得吗？"

老看门人点点头。"她是在克罗顿的那个神秘社团中的一员。在当地人民反叛他们、撕破他们喉咙之前，跟着那个数学家毕达哥拉斯跑掉了，是她吧？"

这小伙子直勾勾地瞪着老人，说道："我不要再想起那些，利桑德，今天那恐怖的一幕我看够了！"

"那儿到底发生了什么事？"利桑德问，疑惑使他的眉头皱成一个疙瘩。

"国王命令那个女人把社团的所有秘密发现全都告诉他。关于科学方面，比如力如何使箭飞行，整个弓箭如何工作，所有的一切。"

"哎哟，他可是很暴虐的，咱们的国王一贯是这样的。"

"才不是那样呢，实际上国王十分和善，他甚至答应给她一笔钱。"

"然后她就泄露秘密了吗？如果是我的话我就会。"老人嘻嘻地笑着。

"没有。她脸涨得通红，攥着拳头大喊，说科学家的秘密不能出卖。"

"我想知道他们是些什么人呢？"

"我不知道。"小伙子含含糊糊地说，"我听到国王的两个谋士说，他们肯定是一些不平常的人。他们还说，这个女人会给人看病，还会治疗骨折。但是，无论怎样，那个斯巴达女人没有把秘密告诉国王。"

老人悲哀地摇摇头。

"噢，亲爱的，我猜事情要变得糟糕了。"

小伙子战栗着。

"确实是这样。你想啊，作为一个科学家，她还是有点头脑的。

但你不能跟狄奥尼西奥斯作对，这连我都知道。国王刚刚开列出各种酷刑……"

好了，你认为后面会发生什么?

a）这个科学家咬她的脚指甲表明她不害怕。在当时，这样做对国王是一种极大的侮辱。

b）她剁下自己的小手指以证明她是多么坚强。

c）她咬掉自己的舌头，表明她绝不开口说话。

答案

c），社团成员宣过誓，要保守他们发明的秘密，打死也不说。

讨厌的历史学家说：

这或许仅仅是一个传说。但是一个科学家社团曾在意大利的克罗托内存在过，后来被当地民众摧毁了。这个社团是在公元前530年由数学家毕达哥拉斯（前582—前500）建立的。这些科学家一起研究数学，建立科学理论，还给人治病。另外，他们还制定了严格的纪律，以保守他们发现的秘密。

有一个科学家对自己的思想没有保持沉默。他是一个聪明的医生的儿子，后来成了国王的老师。他的许多观点常常被人们认为是错误的，但是1800年后他成了世界上最有名的希腊科学家。

那他的名字呢?

惊人的亚里士多德

想象一下你成了名人。你可以经常出现在电视上，可以下榻在豪华酒店，还有许多人围在你的寓所外等待索要你的亲笔签名。

如果本节叙述的科学家现在仍然活着，他就是那样的名人。当然，我的意思不是说因为活了2400岁而出名，而是因为他开创了科学和撰写了叙述他的发现的畅销书而出名。下面就是他的故事。

可怕的科学荣誉殿堂

亚里士多德（前384—前322）国籍：希腊

当亚里士多德还是个少年时，他的妈妈和爸爸就去世了。由于缺少父母的管教，他差不多成了少年罪犯，并且在放纵的聚会上胡乱花钱。

但是当他17岁的时候，亚里士多德的心态起了变化。他决定去雅典上学，跟着哲学家柏拉图学习。那儿的课程比较轻松，容易跟得上，并且鼓励学生们自己发现新事物。你不愿意你的学校也像那样吗？

亚里士多德十分喜欢这个学校，后来他成了这个学校的老师，一直教了20年。再后来，他的侄子接管了这个学校。他的侄子特别看重数学，而亚里士多德却很讨厌数学。于是，他决定前往土耳其。在那里，亚里士多德给当地统治者做政治事务方面的参谋，同时还研究自然。最后，在公元前343年他被邀请到希腊的马其顿，给未来的统治者亚历山大大帝（前356—前323）当老师。

光辉的生物学、无用的物理学和可怕的天文学

亚里士多德对什么都感兴趣（当然数学除外）。他写了大量的有关自然和自然力的书，由于他的这些工作，他给生物学和物理学奠定了基础——要是你讨厌这两门课，现在你知道该埋怨谁了。

亚里士多德在生物学上的贡献是辉煌的。他在书中描述过大约500种不同类型的生物，并亲自解剖过其中的50种，以观察它们如何生存。他确信海豚不是鱼，因为海豚没有鳃，并且雌海豚是用奶喂养幼崽的。他第一个切开了正在孵化的鸡蛋，以观察丑陋的未出生的小

鸡是如何发育的。这种事你会做吗？

但是，亚里士多德在物理学和天文学方面不太好，尽管他的一些思想在当时是很合乎情理的。不过，我们现在知道他解释的许多东西是错误的。另外，当我说他错的时候，我的意思是他有时是完全错误的。但是他的思想毕竟是朝前跨了一大步，因为他对许多事情给了人们一个听起来合乎情理的解释。例如，亚里士多德说过……

可怕的健康警告！

你下面将要读到的每一个科学"事实"都是错误的，还不是不太正确或者是对错各半。我们正在讨论的是十足的废话、蠢话、空话和胡扯。因此，如果你做自然科学的家庭作业时照抄这些常规说法，那就像手里拿着"喂，我是午餐"的牌子走到狮子的岩洞里一样。关于下面开列出的内容，我们还请科学家作了批注。

令人厌烦的科学家

亚里士多德的物理学

重的物体总比轻的物体掉落得快。在地球上射一支箭，它总沿着一条直线向下掉。

> 两者都错（如果你不相信，翻到第71—72页看看）。

原子不存在。

> 错——任何一种东西都是由原子构成的。

任何一种东西都是由土、气、火和水构成的。

> 错——科学家知道任何物体都是由原子的混合物构成的。对于原子，亚里士多德是不相信的。顺便说一下，如果说亚里士多德的理论听起来有些熟悉，那是因为他是从恩培多克勒那里剽窃的！

亚里士多德的天文学

月亮是个极为光滑的球体。

> 错——试着用望远镜看一看月亮，你就会明白他是错误的（噢，对了，望远镜在19世纪90年代之前还没有发明，因此你不能就这个错误责怪亚里士多德）。

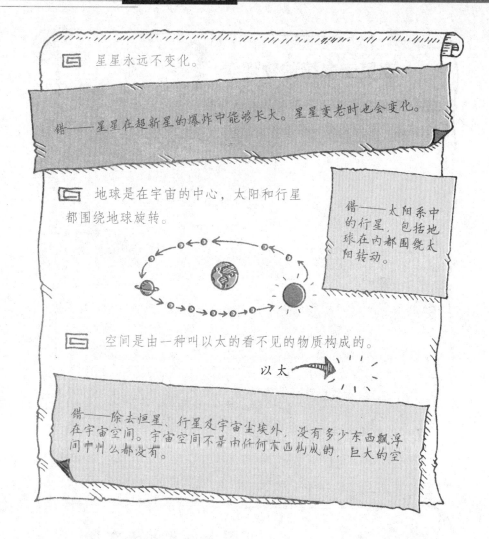

星星永远不变化。

错——星星在超新星的爆炸中能够长大。星星变老时也会变化。

地球是在宇宙的中心，太阳和行星都围绕地球旋转。

错——太阳系中的行星，包括地球在内都围绕太阳转动。

空间是由一种叫以太的看不见的物质构成的。

以太

错——除去恒星、行星及宇宙尘埃外，没有多少东西飘浮在宇宙空间。宇宙空间不是由任何东西似成的，巨大的空间中什么都没有。

剧烈的胃肠感觉

亚里士多德十分痛苦地死于严重的消化不良。这个不愉快的事件证实了科学可能是一件令人痛苦的事情。但是，如果你是一位科学家，有一件事甚至更痛苦，比你答错题还要痛苦。那就是你以错误的方式从事你的工作。这可能引起痛苦的科学灾难。

如果你有胆量就接着读！

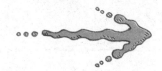

科学方法
的故事

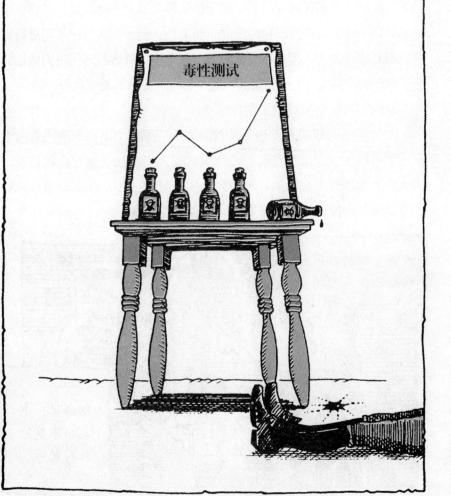

毒性测试

科学系统的分类

你知道科学家是通过实验和观察事物来谨慎地验证他们的想法的吗？这种谨慎的科学方法不是天生的。对科学感兴趣的人必须明白这是从事科研的最好方式，是必然要选择的。

众所周知，亚里士多德是一位伟大的思想家。但是你可以说他太出名了，人们太在乎他所说的了。对于科学界来说，不幸的是，虽然亚里士多德做了许多观察海豚和鸡蛋方面的工作，但他却认为这不是进行科学发现的最好方法。相反地，他认为专家应该通过辨析问题得到结论，至于你和我这样的人，无论赞同与否，都应与专家的说法取得一致。

是的，这好像又回到了学校。

2000年前的权威人士和基督教会都认为亚里士多德是最优秀的专家，于是即使亚里士多德说的是错误的，人们也相信他。也就是说，即使伟人的思想家也认为，解决问题的最好方法不是观察事物和进行实验，而是读像亚里士多德那样的专家编写的书。

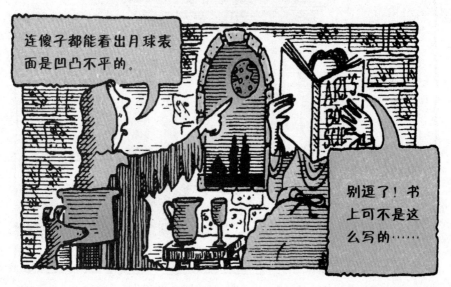

1600年左右，当人们开始获得新的发现，并发觉亚里士多德是错误的时候，情况才发生了好转。但是，对人类探索世界的方法的新认识不是来自于一名科学家，而是一名律师，一名对冷冻鸡有特别兴趣的聪明的律师。

要点提示：

对于科学家来说，17世纪是令人激动的时期。科学家们开始不断地认真思考他们的工作方法，并意识到仔细观察和实验的重要性。

这应该感谢……

聪明的培根和有系统的科学

弗朗西斯·培根（1561—1626）不是科学家，而是律师。实际上，他是一名相当棒的律师，他为两位英国君主：伊丽莎白一世（1533—1603）和詹姆斯一世（1566—1625）工作。

好棒的培根！

是的，他是一位好助手。

1621年，他成为了大法官——这是全国职务最高的法官——但是5天以后，他就因受贿而被撤职。对培根而言那是件坏事，可是对于科学而言却是好事。

现在，培根有时间写书了。在书中，他争论说对世界的认识不应依赖于辩论和像亚里士多德那样的专家。相反，培根律师说……

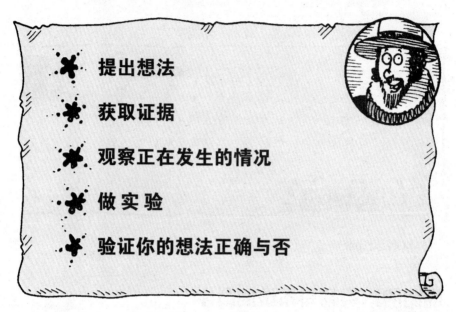

* 提出想法

* 获取证据

* 观察正在发生的情况

* 做实验

* 验证你的想法正确与否

渐渐地，人们开始意识到以这种谨慎的方式工作的价值。于是，我们所了解的科学诞生了。当然，如果你想成为一名科学家的话，那就是你将要做的，但有一个问题——有一些实验确实可怕。

你敢试一试吗？

为什么不敢？

痛苦的科学实验

做科学实验时，你有点害怕吗？也许空气中有一股气味，不是普通化学物质，而是危险品。也许你手中拿的是有毒物品或可能爆炸的物质。嗯，欢呼吗？科学的历程充满了让科学家受苦的实验。

看一看发生在罗伯特·本生（1811—1899）和他的同伴埃米尔·费舍尔（1852—1919）身上的事。罗伯特·本生是德国海德堡大学化学系的教授，他的功绩包括发现两种新元素——铯和铷。他也仔细研究了有臭味的化学物质，如二甲胂基类的物质。这些物质使他的衣服发臭。埃米尔·费舍尔的妻子说：

刁难一下你的老师

学校里有本生灯吗？若有，一堂自然科学课后，你可以问老师：

是罗伯特·本生发明的这个本生灯吗？

答案

本生灯虽以本生命名，但不是他发明的，而是他的一个助手彼得·戴斯得各发明的。

现在回到故事中来。

我想，费舍尔夫人已习惯了那些讨厌的化学物质对她丈夫的影响。埃米尔·费舍尔是一位喜欢弹钢琴和吃上等食品的欢快的人。但他发现的一种化学物质一定会使别人远离他们的晚餐，这种化学物质使他得了一种讨厌的皮肤病——他的皮肤一片片脱落，并最终影响他的社交生活。

在19世纪80年代初，费舍尔发现了粪臭素，一种在内脏中发现的化学物质，就是它使你的屁闻起来很臭。后来有一天，他的几个学生去另一个镇上住宿。晚上，他们想在一家旅馆登记，但是他们衣服上的臭味是如此强烈，旅馆老板认为是他们放屁的原因，因此，他们被拒之门外。

确实危险的实验

但是，至少他们受的苦不如那些从事真正危险实验的科学家……

可怕的健康警告！

不要企图在家做下面提到的实验，当然更不要拿年幼的弟妹和无辜的宠物做实验。忽视这些警告，意味着你就要坐牢，直到你被认为不会再对社会造成危害为止。

冻僵的弗朗西斯

记得弗朗西斯·培根吗？记得他对做实验多么感兴趣吗？1626年4月，也许他的兴趣点会发生些转变。当然了，如果他还有机会活下去的话……

每日新闻

1626年4月9日

鸡杀了培根

前任大法官弗朗西斯·培根之死

伯特

据弗朗西斯·培根的车夫伯特所说，培根坐在他的四轮马车里正在赏雪，这时他决定做一个实验。"他想弄明白雪是否能保存一只死鸡——我想，于是他从他的车里出来了。"

杀手鸡

培根从当地农民那里买了一只死鸡，将雪装入鸡的肚子里。这时，他的病发作了。车夫伯特说："培根开始呕吐，其味难闻。"他的脸色与死鸡的一样，一名医生被叫了过来。

但是他说："培根的胃严重受寒并进而影响到他的肺，我救不了他了。"

科学早期，没有护目镜、保护服、合适的面具等这类安全保护装备，看看发生了什么……

可怕的实验

1. 罗伯特·本生在研究有毒的砷时，一只眼睛瞎了，几乎丧命。

2. 1811年，法国化学家皮埃尔·杜隆（1785—1838）很幸运，他发现了一种新的化学物质——三氯化氮。但他也是不幸的，因为威力巨大的三氯化氮毁掉了皮埃尔的一个眼球和两个手指。

3. 电可能是极度危险的。1745年荷兰科学家彼得·范·穆申布罗克（1692—1761）用水装满了一个金属容器，并将它与一个通过黄铜棒产生静电的装置相连，水中就产生了电荷。他的助手偶然触摸了一下，受到了严重的电击。不久之后，德国科学家艾瓦德·冯·克莱斯特（1700—1748）也受到了类似电击，他说：

提醒你：成为法国统治者可是件令大多数人向往的事。

4. 德国化学家尤斯图斯·冯·李比希（1803—1873）一直受到吉森大学的他的学生的尊敬。一天，他让志愿者测试一种新酸，学生非常愿意成为著名科学家的伙伴（是的，有这种人），每人都举起了手。于是李比希滴了一些酸在志愿者裸露的胳膊上，事实证明这种酸的威力比他想象的还大——一些志愿者被严重烧伤。

5. 英国科学家爱德加·艾德里安（1889—1977）是一位神经学方面的专家，他喜欢测试在肆意地快速驾驶时，人的神经反应状况。当然，车里的每位乘客都是被测试的对象！

简陋的实验室

绝大多数科学家需要有个地方做实验——换句话说，需要一个实验室。当然了，有些实验室很棒，有些就差点儿了。让我们先来比较一下下面这两个……

塞尔威尔房地产经纪人

出售

建有城堡和实验室的
私人岛屿
乌兰尼堡　　赫文岛
丹麦

塞尔威尔很高兴提供这份独特财产，有岛和村庄，村庄里有规矩本分的农民。我们知道，1575年，既是科学家又是天文学家的第谷·布拉赫（1546—1601）建成了这座城堡。

简述特征：

🏠 岛上有40户农民，一个村庄和60个鱼塘。

🏠 一个风车，一个造纸厂和水坝。

🏠 两个大型狗舍。

🏠 城堡里有私人实验室，墙厚5.2米。

🏠 两个观察星星的眺望台。

非常合理的出售价格
9 999 999英镑

你肯定不知道!

　　第谷·布拉赫的脾气很糟糕。19岁时,一天深夜,他就曾经因为一道数学题的答案与另一位丹麦贵族进行了一场决斗。一道家庭数学题值得引起一场斗殴吗?最后,那位贵族从第谷的鼻子上切下一片,使得他的鼻子不再完整。在以后的生活中,第谷一直戴着铜和银制成的假鼻子,但他仍爱争吵。1597年,他与丹麦皇族争吵之后不得不被迫离开了赫文岛。

出售
工棚,巴黎

　　历史的产物,1898年科学家玛丽·居里和她的丈夫皮埃尔发现新元素——镭的场所。

简述特征:

🏠 大致说来,工棚是倾斜式结构,面积紧凑,就这么多。

🏠 通风很好(墙上有许多洞),对排放实验中产生的有毒烟雾非常有利。

🏠 夏天非常凉快(冬天也是)。

🏠 适合于一切事情都热衷自己操办的人。

　　价格:接受合理价格,任何价格都可能。

　　哦,好,欢迎光临!

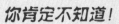

你肯定不知道！

对于贫困的居里夫妇而言，工棚是他们所拥有的唯一的工作场所。玛丽·居里（1867—1906）在棚中工作了4年，在那里加热有毒物质，以争取发现镭元素。一位来访的德国科学家威廉·奥斯特瓦尔德在描述这间实验室时这样说：

那其实是一条在马棚和藏土豆的地窖之间的过道……开始，我还以为他们在和我开玩笑呢！

即使这样，科学家们仍在实验室中努力工作，仍沿用300年前培根所提出的方法——仔细地观察和实验。如果他们成功了，并取得伟大发现，他们可能获得诺贝尔奖。

烦人的科学家说：

1901年，炸药的发明者，瑞典人阿尔弗雷德·诺贝尔（1833—1896）出钱设立了诺贝尔奖。该奖是专门为那些在物理、化学、医药、文学和世界和平方面作出贡献的人而设立的，获奖者可以得到一枚直径为6.5厘米的金牌，以及250 000英镑奖金——那不是坏事。也许有一天我也能得一枚……

考一考你的老师

获得诺贝尔奖的最年轻的科学家的年龄有多大?

a) 11

b) 45

c) 25

答案

c), 你的爸爸帮助你做过关于科学的家庭作业吗? 嗯, 下次, 你遇到物理难题时, 可别忘了把下面的故事告诉你爸爸。威廉·布拉格先生(1862—1942)肯定帮助过他的儿子劳伦斯(1890—1971)。他们在一起发现了如何利用X射线通过晶体后散布开来的方法去研究原子。1915年, 父子俩分享了当年的诺贝尔奖, 而当时的劳伦斯只有25岁。

你仍在想是否要成为一名科学家吗? 嗯, 如果这样, 你应该渴望读下一章。

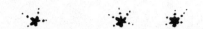

现代苦难的科学家

若想成为一名科学家，你需要决定的第一件事是成为哪种科学家。现在距亚里士多德时代已有2300年，科学已经走了很长一段路，分为多个分支，每个分支都有许多经过特别培训的科学家。

要点提示：

到了大约1800年，科学知识变得如此复杂以至一个人不可能完全了解它，因此科学家往往会选择科学的一个分支进行研究。总之，下面是一个方便的指南，帮助你识别主要类型的科学家。

识别科学家

天文学家

这类科学家主要研究外太空及其中的所有情况。他们对这样一些问题感兴趣，如宇宙有多大，其他星球上是怎样一番情景。由于大多数天文学家不能进入太空，因此他们依赖于望远镜和发送探测器研究星空。事实上，他们没有太多时间用望远镜观察，而是由电脑自动分析图像并绘制图片，然后再据此进行研究。

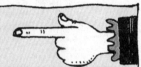

迷人的太空探测器

讨厌的外星人飞船

45

待续……

这位天文学家整夜观看望远镜

由于缺乏睡眠而疲惫不堪

一大杯咖啡提神

化学家

　　化学家关心的是化学物质和混合化学物质产生新物质的多种方法。由于化学物质是由特别有序的原子组成的，所以化学家们对原子如何连在一起以及连接时形成什么样的漂亮形状特别感兴趣。

防止有毒化学物质伤害眼睛的护目镜

混合化学物质的试管

乳胶手套

生物学家

　　这类科学家研究植物、动物，以及它们是如何设法从被吃掉的危险和疾病的威胁中生存下来的。他们也想知道一些可怕的细节，比如有关动物是如何喂养、生长和繁殖的，也就是说，是如何产生后代的（对植物来说就是种子）。一些生物学家专门研究人体。还有一些生物学家专门研究细胞——一种很微小的像果冻似的小东西，动物和植物就是由它们组成的。

观察小动物的放大镜

捉虫子的网

注：这是位专门研究虫子的生物学家。

拍摄感兴趣的爬行昆虫的相机

物理学家

　　他们研究能量和力，如使鸽子屎掉到你头上的地心引力。他们观察事物是如何运动的，像特别大的事物如行星、恒星和很小的事物如原子。

待续……

他们也对组成原子的更小的物质微粒感兴趣，物理学家能告诉你力、热、声、光、电、磁的事情。

计算

心不在焉的样子

不同的测量设备

在这本书中，你将了解这4种类型的科学家，要密切注意。

世界计划的出路

虽然，这4种类型的科学家研究不同的问题，但有时需要多种专家在一起讨论同一个问题。例如，研究昆虫如何在太空中生存的项目就可能需要……

▶ 天文学家帮助设计它们在太空中的飞行路线。

然后，它们将沿着这儿绕5000千米。

▶ 物理学家建造火箭。

这就是贮存虫子的地方。

▶ 化学家配制火箭的燃料。

这能让火箭飞出去。

▶ 生物学家研究虫子和如何照料它们。

它们将长时间聚集在这儿。

　　很明显，项目越大，参与的科学家就越多，巨大的项目如美国航空航天局的太空计划就雇佣了数百名科学家。但是无论他们负责哪

49

项工作，他们都会使用到同一件东西，那就是他们都用电脑工作。下面，让我们来近距离看看这个令人惊异的昆虫在太空的计划。

现在，我们要说的是一项令人着迷的研究。在没有帮助的条件下，昆虫会到处漂着吗？它们会死吗？也许它们将受到宇宙射线的辐射，变异成食肉的大虫子？当然，这种可能性很小。

天文学家用电脑计算装有昆虫的太空实验室的运行轨道。电脑模拟显示哪儿存在太空垃圾，你必须避开，以免撞击。

同时，物理学家用电脑计算火箭受到的压力，太空低温对金属的影响，火箭飞离地面所需携带的燃料的合理数量，以及其他感兴趣的项目。如果你是一位物理学家，应该对此感兴趣。

化学家忙于用另一台电脑试图弄明白怎样的燃料配方能刚好将火箭射出去，而不是让它当场炸成碎片。生物学家不想进入太空照料那些虫子，因此他正在研制一种电脑程序以自动控制光和食物量。

然后，火箭准备飞向太空，昆虫安全地坐上了飞船。倒计时现在开始！

我们的故事马上就要结束了，你会高兴地发现火箭安全飞入太空了，虫子环绕着地球愉快地度过了随后的几周，科学家们则在地球上愉快地监测着虫子。哦，对了，说起太空，那也是我们要去的地方：在下一章，你会发现第一位星空凝望者。

他们是如何受苦的呢？

天文学家
的故事

古代的天文学家

我们的石器时代家族——乌格斯（第8页曾经提到过，你还记得吗？）就像今天的小孩子们一样好奇地凝望着夜空，想象着星星从哪儿来，它们为什么会发光。这事听起来挺烦人的，但别忘了在那遥远的年代里他们晚上可没有电视可看。

你肯定不知道！

一些人认为建于石器时期的巨石阵和其他的石圈是巨大的时钟（这太令人惊奇了），它们和太阳在特定的时间如夏至时的升起有关。当然，最起码这种钟表不需要电池。

同时，在古印度、埃及、中国和中东地区，从大约公元前3000年前开始，天文学家就开始凝望夜空，长时间的凝望使他们的脖子都僵直了。为了能够解决日历的细节问题，他们通过测量来寻找这些星星的位置，以及这些星星在一年中运动的轨迹。

你肯定不知道！

中美洲的土著居民也有天文纪录。生活在公元前2600年到公元900年的玛雅人，他们算出的环绕太阳的金星的运行周期，准确到只有14秒之差。

现在回到欧洲，亚里士多德和他的骗人的理论出现了。亚历山大城的一位作家托勒密重述了这个理论，并且还补充说，太阳、行星和恒星同处于透明的水晶圆球中，并围绕地球旋转。这些观点立刻被教会里的上层人士接纳，因为他们认为它和《圣经》中讲的一样。于是，随后的1400年里，欧洲再也没有新的天文学理论出现，因为每个人都认为亚里士多德已经解释了所有需要知道的东西。

你肯定不知道！

　　造成这一结果的一个原因是，人们认为人类是宇宙中最重要的生命体，而地球也就理所当然是宇宙中最重要的地方，他们无法想象地球会不在宇宙的中心。需要提醒你的是，现在一些人依旧认为他们自己就是宇宙的中心。

耶！

不管怎么说，我的成绩排在前十名。

受迫害的希帕蒂亚

　　虽然每个人都乐意追随亚里士多德，天文学知识仍在学校传授，天文学家们仍在继续标注星星的位置。但是，一位古代的天文学家却遭受了悲惨的命运。亚历山大城的希帕蒂亚（375—415）写了几本有关天文学和数学的书，她还绘制图表来显示一年里不同时刻星星在夜空中所处的位置。为此，她专门设计了一个星盘（那是一个用来测定星星位置的装置）。不幸的是，希帕蒂亚的星盘的精密设计图遗失了，希帕蒂亚本人也落了个特别悲惨的结局。

希帕蒂亚的悲惨结局

　　在那时，亚历山大城充满了各种教派间的冲突，有犹太人、基督教徒与信奉古罗马神灵的人。基督教徒们不喜欢希帕蒂亚，因为她信奉古罗马神灵，并且她是他们的敌人俄瑞斯忒斯的朋友，这个罗马人恰巧正统治着埃及。我是不是扯得太远了？当俄瑞斯忒斯与亚历山大城的基督教领袖西里尔（376—444）发生争吵时，基督教徒们便把他们之间的不和归咎于希帕蒂亚。

西里尔决定通过整治希帕蒂亚报复俄瑞斯忒斯，他招募了一伙打手。

整死她并让她痛苦不堪！

这伙人将希帕蒂亚拖入了一个教堂，在那儿他们剥光了她的衣服，将她砍得稀烂，最后还放了一把火。

拖！拖！拖！

剥！剥！剥！

砍！砍！砍！

哦……我想她已经死了。

希帕蒂亚就这样被谋杀了。俄瑞斯忒斯逃离了埃及，于是这些凶手未受到惩罚。

随后的1200年里，欧洲的天文学没有多大的发展，而在世界的其他地方却涌现出了一批优秀的天文学家。比如下面就要讲到这样一个人——他是一名真正的巨星，奇怪的是他却是从一名教师起步的。

科学之星欧玛尔

这一章要说的是希亚特·阿尔—丁·阿布·里法特·欧玛尔·依本·易卜拉欣·阿尔—尼萨布里·阿伊·海亚姆。他的名字非常饶舌，他的妈妈叫他喝茶一定用去了好几年的时间。

幸运的是，他被载入了史册……

可怕的科学荣誉殿堂

欧玛尔·海亚姆（1048—1122）国籍：波斯

欧玛尔出生在户拉散，位于现在的伊朗。我们对他的家庭一无所知，但是他名字中的易卜拉欣是"做帐篷的人"的意思，也许那就是他的家庭谋生的行当。年轻的欧玛尔一定受过良好的教育，因为他成为了一名对科学学科感兴趣的老师，但是他发现那很难学。

后来，他承认作为一名老师他总是忙于教学，没有时间考虑在这门课中他应该告诉孩子

们些什么。你的老师存在这样的问题吗？你敢问他吗？

至少，欧玛尔想尽一切办法挤出时间写了两本有关代数和音乐的书。如果给他的时间再长些他可能已经写了有关音乐数学的书呢！后来，事情开始出现了一些转机。

一位巨星诞生了

大约在1070年，欧玛尔和一个重要的法官阿布·塔希尔结为了朋友，这位法官一定对数学很精通，因为欧玛尔送了另外两本代数书给他……

欧玛尔为法官所做的工作引起了贾拉尔·奥汀苏丹的注意。于是，苏丹给了他一份照看他的天文台的工作。

欧玛尔非常高兴，他把随后的18年时间都用在了跟踪上百颗星星的运动上。于是他发明了……

至关重要的日历

从地球上看过去，一年中这些星星似乎是在绕着我们运动。到了1079年，欧玛尔通过观察星星，已获得了足够的信息来推算年的长度。

……减2然后除以4然后……对。1年有365.2424天！

事实上，他只算错了0.0002天。这就意味着如果你用欧玛尔制定的日历的话，每5000年就要少一天。顺便提醒你一下，到那时你可能已经很老了，以至于即使你错过了自己的生日，你都不会太在意（我们现在用的日历实际上没有欧玛尔的准确，因为现在的日历每3333年就少一天）。

所以如果活到1 216 545岁，我就会丢掉整整一年时间！

没错！

欧玛尔建议苏丹重新制定日历以适应他新推算出来的年度。但随后事情开始变得糟糕起来。

首先，苏丹死了。

欧玛尔认为他的计划能继续执行，因为他是一个非常大的长官——波斯首相的朋友。

但是苏丹的皇后掌握着大权，她与这位首相发生了争执，结果，首相被一个神秘的杀手刺杀了。

再后来，欧玛尔的天文台被查封了。

欧玛尔写了本书，说古波斯的统治者们才是真正的好人，他们对像欧玛尔这样的天文学家热心而慷慨。

但是皇后根本不为所动，所以以后的欧玛尔再也没得到另一份工作也就不奇怪了。

你肯定不知道!

欧玛尔还是一名优秀的诗人。在欧洲，他的诗要比他对宇宙的研究更让他出名，哈哈!

没用的算命术

欧玛尔的工作中有一项任务是根据星星的位置绘制占星图，为重要人物算命。虽然私下里他不信这些，他却在这上面花费了大量的时间（当然，现在有些人依然相信这个，称之为占星术，但是你决不会看到一名现在的科学家还在偷看报纸上的占星图）。

让我们回到欧洲，这时人们还在笃信亚里士多德的关于宇宙的骗人的理论。而整整用了400年才出现了一个足够聪明的天文学家，他告诉人们陈旧的亚里士多德的理论是错误的。

聪明的哥白尼

尼古拉斯·哥白尼是幸运的。死得幸运。你可以这么说，因为他的学术著作直到他临死前才刚刚出版，而教会当然还来不及把他送上火刑架活活烧死。

可怕的科学荣誉殿堂

尼古拉斯·哥白尼（1473—1543）国籍：波兰

当哥白尼只有10岁时，他的爸爸，一个富有的商人去世了，这个孩子开始和他叔叔一起生活。在那样的年月里，能碰巧有个富有的、有权势的主教叔叔会让自己的生活和工作变得很便利。结果，年轻的哥白尼有很多零花钱，他也能在离开学校之后继续接受教育达15年（我知道这可能不是你对幸运的看法，但年轻的哥白尼酷爱学习）。在波兰的一所大学学了一段时间数学之后，他去了意大利，在另外3所大学学了医学和法学。

要点提示：

意大利在当时是个令人激动的地方，学者们重新寻找着掩埋在修道院废墟里的古希腊人和古罗马人的光辉著作，受过教育的人们再次对科学和希腊人的思想产生了兴趣。

一种莫名其妙的药

作为他的医学研究结果，哥白尼发明了一种药。这就是处方……

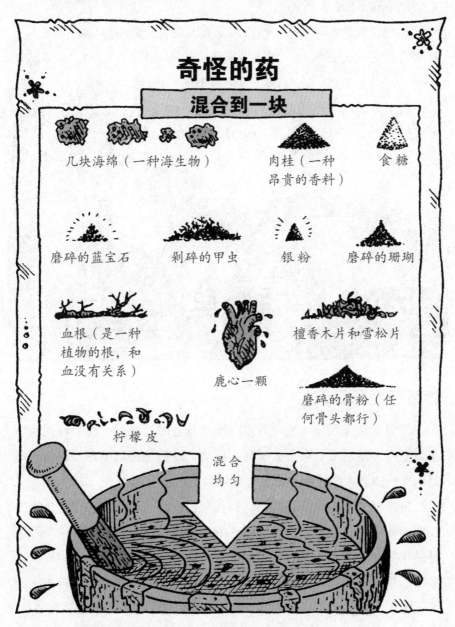

奇怪的药

混合到一块

几块海绵（一种海生物）　　肉桂（一种昂贵的香料）　　食糖

磨碎的蓝宝石　　剁碎的甲虫　　银粉　　磨碎的珊瑚

血根（是一种植物的根，和血没有关系）　　鹿心一颗　　檀香木片和雪松片

磨碎的骨粉（任何骨头都行）

柠檬皮

混合均匀

哥白尼声称如果这药你一天服两次包治百病。而实际上，这药除了让你胃疼什么效果都没有。

我想他的叔叔一定很想知道，哥白尼什么时候才能停止研究而去找一份合适的工作。于是过了一段时间，哥白尼按照他叔叔的意志做了弗劳恩堡大教堂的教士。

教士们负责管理工作，而哥白尼有大量的时间用在他的业余爱好——天文学上。在波洛尼亚（他的母校之一），当他看过一次月蚀之后便对天文学产生了兴趣。幸运的是他的好心的叔叔因此给他建了一座塔楼，这样他就可以有一个好的视角来观看星星了。

嗨！侄儿！

太好了！

什么在走来走去

哥白尼注意到一年之中星星离地球总是时远时近，他解释说地球在太空中一定是沿着一个大圆环在运动。随后他得出结论，认为一定是地球在绕着太阳转而不是太阳在绕着地球转。

哥白尼并不完全是正确的，和托勒密一样，他也认为行星是镶嵌在水晶球中的。如果他有一个真正的水晶球的话，他会知道这个理论是错误的。1543年，哥白尼得了中风（那是一种脑血管堵塞的病）。他不能说也不能动，这时有人给了他一本他的书的手抄本，这本字迹未干的书阐释了他的理论。当哥白尼死的时候，手中还拿着那本书。

哥白尼能在教会头目读到他的书之前死去实在是太幸运了！假设他能活得更长些，那么他可能最终会以特别痛苦的方式死去——绑在木桩上被活活烧死——因为这是对异端学说（攻击教会的思想）的惩罚。别忘了，教会宣称亚里士多德关于太阳绕着地球转的理论才是正确的。但尼古拉斯·哥白尼不是唯一一名面临可怕死亡的科学家。

你肯定不知道！

乔达诺·布鲁诺（1548—1600）是一名意大利修道士，他提出了使他的上司们难以接受的观点。他认为：

> ▶ 哥白尼是正确的——地球是绕太阳旋转的。
> ▶ 地球是运动着的，它在太空中穿行。
> ▶ 宇宙很大，宇宙中的所有事物都是由原子构成的。

布鲁诺在基础研究方面做得不多（他只是在推理和推测）——但是他的两个想法是正确的。你能发现是哪两个吗？

布鲁诺与宗教裁判所

布鲁诺周游欧洲各国，以教学和写作为生。后来他决定回到意大利——这是一个致命的错误。在威尼斯，布鲁诺找到了一份教书的工作，他以为他的雇主会保护他。可是他错了。相反，布鲁诺被令人惧怕的宗教裁判所逮捕了。宗教裁判所是教会内的一个组织，专门负责清除异教徒，必要时对他们进行拷问和处死。在狱中待了7年之后，布鲁诺被当做异教徒审问，判决只有一个。

一个不幸的结局

警告：如果你不喜欢悲惨结局的话，在你看到这儿之前，请闭上你的眼睛。

好消息：

主审官说：

你会受到尽可能仁慈的惩罚，你可以不用流血。

听起来还不太坏！

坏消息：

1600年2月8日，判决被立即执行。可怜而年迈的布鲁诺，真的被活活烧死了，但他还不是唯一一位面对可怕命运的科学家……

英勇的伽利略

1633年，伽利略作为一名天文学家和一名多才多艺的科学家而闻名世界。但是在那样的年月，伽利略也面临着宗教裁判所的拷打和死亡的威胁。伽利略会走布鲁诺的老路吗？

可怕的科学荣誉殿堂

伽利略（1564—1642）国籍：意大利

年轻的伽利略对数学特别感兴趣。事实上，他的数学好得出奇，25岁时就成为了比萨大学的数学教授。在他读了布鲁诺和哥白尼的书之后，他对天文学产生了浓厚的兴趣。这些书使伽利略相信，地球是绕着太阳转的。

要点提示：

科学家在不同的历史时期对不同的科学感兴趣。由于哥白尼的努力，1550年以后的一个世纪里，天文学成为了科学家们最关心的科学领域。同时，也涌现出一大批像伽利略这样的著名天文学家。

不可思议的物理学发现

在这期间，伽利略有了重大发现，不过这些发现和天文学无关——是物理方面的发现。例如：通过仔细观察钟摆，他证实，不管钟摆有多大，每次摆动所用的时间是一样的。他用数学定理的形式进行了解释，这是人类第一次用数学来描述物体的运动。根据这个发现，荷兰科学家克里斯蒂安·惠更斯（1629—1693）建造了世界上第一个钟摆式大钟——一个靠钟摆的有规律摆动来确定时间的钟。

你能发现伽利略另外两个重大物理发现吗

实验1

你所需要的：
▶ 一个皮球
▶ 一张桌子

你所要做的：

沿着桌子滚动球，于是它会从一头掉下来。当球到达桌子的边缘时球会怎么样？

a）球沿一直线垂直掉下来。

b）在球沿一直线掉下来之前，球会在空中继续往前跑几厘米。

c）球沿一曲线下落。

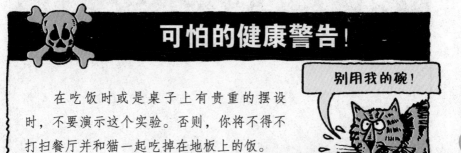

可怕的健康警告！

别用我的碗！

在吃饭时或是桌子上有贵重的摆设时，不要演示这个实验。否则，你将得不打扫餐厅并和猫一起吃掉在地板上的饭。

咪咪

　　c），亚里士多德说过，当某物落下来时，它会突然沿一直线掉下来，还记得吗？但是他从来没有通过实验来检验他的观点。伽利略的发现有助于炮手们将他们的大炮打得更准确……所以快藏起来！

实验 2

　　你所需要的：
▶　一个乒乓球
▶　一个橡皮泥球或一个相同尺寸的铁球

　　你所要做的：
　　让两个球从楼梯的栏杆外或2楼的窗户外落下，哪个球首先落地？

　　a）较重的橡皮泥球或铁球。
　　b）较轻的乒乓球。
　　c）它们同时落地。

可怕的健康警告！

　　你一定要先看看楼下面有没有人！对不起！我本应早点儿警告你的。

答 案

c），亚里士多德说较重的物体要比较轻的物体下落得快。通过滚动不同质量的球并测它们的速度，伽利略证实亚里士多德是错误的。只要它们不受任何外力的干扰，重的和轻的物体会一起以相同的加速度冲向地面，那是因为地球引力以相同的方式作用于它们。伽利略没有指出这一点，没有意识到是地球引力在起作用（这留给了艾萨克·牛顿，见第162页）。但是，伽利略的工作给牛顿提供了出发点。

那么你做得怎么样啊？如果你两道题都答对了，你将来很可能成为一名像伽利略一样伟大的科学家。当然了，希望你不会被逮捕，并遭受拷打和死亡的威胁，因为那都是伽利略所遭遇过的。

发现星星的伽利略

1609年，伽利略由一名物理学家转变成了一名天文学家。他听说了新发明的望远镜之后，自己也造了一台，并用这台望远镜发现了木星的4颗卫星和月球上的山脉。这些发现再次证明，亚里士多德的理论是错误的——月球并不像古希腊人所描述的那样是个光滑的圆球，它上面有碰撞的痕迹和陨石坑。

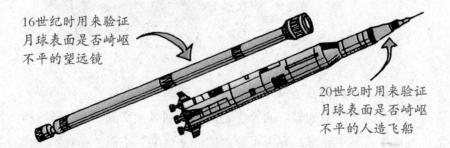

16世纪时用来验证月球表面是否崎岖不平的望远镜

20世纪时用来验证月球表面是否崎岖不平的人造飞船

在所有伽利略观察到的现象中最重要的是，金星和土星是作为行星围绕太阳转的。所以，地球根本不是太阳系的中心。哥白尼和布鲁诺是正确的！伽利略在1610年写了一本书想把他的研究发现告诉每一个人，可那又是一个巨大的错误⋯⋯

一次审判

伽利略几乎在任何事情上都干得很辉煌。一名辉煌的艺术家，一名辉煌的作家，一名辉煌的音乐家，当然还是一名辉煌的科学家。唯一不辉煌的方面是他不够谦虚。

结果他为自己树立了强大的敌人——特别是在教会里。1633年，在经过了一系列反对他教学的警告之后，伽利略被带到了宗教裁判所的审判席上。罪名是异端邪说，等着他的是火刑。下面，是我们偷偷看到的好像是伽利略的档案⋯⋯

绝密文件

尚未公开的关于拷打痛苦的文件！
关于异教徒伽利略的报告。

伽利略

年龄：*70*

罪名：*异端邪说。与教会的教义相反，他说地球绕着太阳转。*

当然任何一个傻瓜都知道事实上太阳是绕着地球转的。如果地球是运动的，小鸟就会从树上掉下来，不是吗？

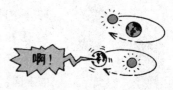

背景：*1616年，伽利略曾许诺放弃他的思想。*

但是去年他出版了一本书，再次嘲笑教会的教义，提出他的歪理邪说。他说所有的观点都在这本书里，这本书疯狂地嘲笑我们这些握有伟大真理的人，疯狂嘲笑我们的教义，是可忍，就不可忍……

刑罚的问题：*伽利略会承认他是错误的吗？第一步是向他展示刑具，像用来拉一个人的胳膊、腿直到它们脱臼的拉肢刑架。接着是又红又烫的钳子，还有绑在头上的绳子，绳上打有能使眼球脱落的死结。然后，我们在火刑柱旁点燃大火。*

接着发生了什么呢

烦人的历史学家说：

我们历史学家的看法不太一致。一些人说伽利略因为太有名了，所以并未受到拷打。宗教裁判所只是让他看看拷打室，好让他害怕。但其他的历史学家指出，伽利略内脏中的肌肉受到了损害。这种伤可能是因为在拉肢刑架上被拉肢所造成的。所以照这种观点看，勇敢的伽利略从拉肢刑架上下来后一定长高了不少。

之前　之后

但是伽利略并没有死，为了挽救自己的生命他不得不供认不是地球绕太阳转。他说：

我咒骂并痛恨我以前说的谬论和邪说，我发誓，我再也不说……任何会引起对我怀疑的言论。

据说他又屏住呼吸低声说：

伽利略被判处终身监禁。他被锁在了自己家里，一直未被释放。最后，他瞎了，不得不放弃科学研究，因为没有人能帮助他。

你肯定不知道！

　　伽利略和布鲁诺不是历史上仅有的两个遭遇过不幸的天文学家。约翰·开普勒（1571—1630）是一名德国天文学家，他用数学演示了行星是如何沿椭圆轨道绕太阳运动的，但是他把自己想象成一名科幻小说家。1610年他写了一个故事，在故事中，他的妈妈是一名巫婆，她和来自月球的怪物有接触。有人把这个故事交给了官方，他们以为这是真实的。结果这名无辜的老太太从家里被拖了出来，被当做巫婆严刑拷打。最后，开普勒不得不写信给一名重要人物才使他的妈妈被释放。

由于伽利略和开普勒的工作，全欧洲的天文学家们都在用他们的望远镜凝望太空，并标注恒星和行星的位置。除了教会里的人以外，所有人都接受了地球绕太阳转的思想。但是天文学上仍有许多问题有待发现。像德国出生的英国天文学家威廉·赫歇尔就有许多发现。不过他是幸运的——他有全世界最好的姐姐帮助他。请接着往下看吧，你就会知道结果的……

一个长期受苦的姐姐

1782年，威廉·赫歇尔成为英国一名顶尖天文学家——皇家天文学家。他发现了天王星，并在随后的几年里又发现了许多恒星和彗星。1783年，他还发现了一种新的光波叫红外线。

艰难的科学档案

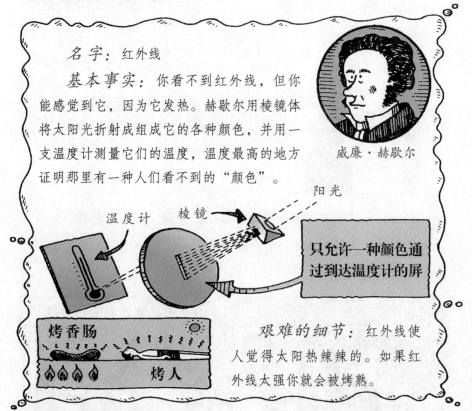

名字：红外线

基本事实：你看不到红外线，但你能感觉到它，因为它发热。赫歇尔用棱镜体将太阳光折射成组成它的各种颜色，并用一支温度计测量它们的温度，温度最高的地方证明那里有一种人们看不到的"颜色"。

威廉·赫歇尔

温度计　　棱镜　　阳光

只允许一种颜色通过到达温度计的屏

烤香肠

烤人

艰难的细节：红外线使人觉得太阳热辣辣的。如果红外线太强你就会被烤熟。

不太为人所知的是，赫歇尔常说他的许多成就应归功于一位非凡的女性——他的姐姐，卡罗琳。

79

可怕的科学荣誉殿堂

卡罗琳·赫歇尔（1750—1848）国籍：德国/英国

当卡罗琳还是个小女孩时，她的
爸爸告诉她：

> 你既不漂亮又不富有，
> 所以不会有人娶你的。

她的妈妈补充说：

> 你要一辈子照看你的兄弟们。

所以，年轻的卡罗琳几乎没受过什么教育，而她的兄弟们却从音
乐家爸爸那儿学到了音乐。卡罗琳的妈妈强迫她学做饭、缝补洗涮兄
弟们发臭的旧衣服。

> 唉！该死的天平！

> 啊！多么动听的音阶！

如果卡罗琳保存有一本神秘的日记的话，它可能看起来像这个。

卡罗琳的神秘日记
（不能被我的父母和兄弟们看到）

 **我说过了，不许看！**

1771年——我只有一个癖好，实际上是两个——弹钢琴和唱歌。我不得不自学很多东西，不过也许我可以找到一份教音乐课的工作。

1772年——特大消息！我的弟弟威廉来信了。他自从1757年就在英国了。威廉已经作为一名音乐家在工作了。现在他很富有，足以为我们俩建一座住宅。妈妈说我可以去英国，条件是我必须做全部家务，就像我一直做的那些事，而威廉付给我和仆人一样多的工钱。哼，够节约的！

我们的房子➔

1773年——在英国的生活并不像我所期待的那样。威廉真的投入到天文学中了——他正在造他自己的望远镜，我不得不帮助他。这我倒不介意，但是为了制造浇铸透镜的磨具，我必须粉碎并且筛分成吨的模料。接着，我还不得不抛光这些镜片。可是我甚至还没用过望远镜呢！相反，我整夜和威廉在一起，帮他记录他所看到的现象。

　　我用一个长把匙子给他喂饭，因为他太忙了，根本无法正常吃饭。此外，我整天都在做各种各样的家务，就像我在德国一样。这是什么生活！

　　1783年——去年圣诞节，威廉回德国拜访亲友去了。于是，我偷偷地用他其中一台望远镜看星星，发现了一个以前没人知道的星云——那是星星间相距很远的一个巨大的星云。哇！

　　1786年——我好心的弟弟为我造了一台望远镜（当然，我忍受了粉碎模料的辛苦），并且我已经发现了一颗新彗星！

哇！

卡罗琳的彗星

　　卡罗琳又发现了7颗彗星，并列出了所有主要的恒星。这成为了天文学家们的重要信息来源，但是卡罗琳是特别谦虚的那种人，她说：

　　我没为我弟弟做什么，只是做了一只受过良好训练的迟钝的小狗应该做的。

废话！受过良好训练的狗，叼着它们的皮带，尖叫着，叫人们带出去遛。如果它们没有受过良好的训练，它们会咬你的拖鞋并在沙发后面撒尿。卡罗琳列出了数百颗恒星并写了一些报告，证明了自己是一名伟大的天文学家。

感谢还是没感谢

其他天文学家用了很长一段时间才认识到卡罗琳所做工作的价值，不过他们最终还是认识到了。终于，在卡罗琳年事已高之时，她被英国皇家天文学学会和普鲁士国王授予了勋章。

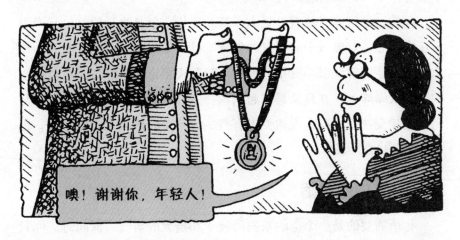

但生活并不完全是幸福的，1788年威廉结婚了，可怜的卡罗琳不得不从他们共同拥有的家中搬出来。历史并没有记载威廉是否曾为卡罗琳数年的无私帮助而说过"非常感谢"。

同时，天文学家们继续进行着激动人心的发现，巨大的突破改变了我们对宇宙的整个看法。接着看下去……你会发现：

现代的星空守望者

1929年，美国天文学家埃德温·哈勃（1889—1953）颠覆了整个宇宙。当然了，不是真正的颠覆，但他确实改变了科学家看待宇宙的方式。他注意到，不管从哪个方向看，星系——大量的组成宇宙的星星集合体——正加速远离我们。

当然，那可能意味着外星人不喜欢我们，但是哈勃的推论是说宇宙正在膨胀，就像一个充了气的气球一样。如果说宇宙正在变大，那么推论出宇宙曾经很小就是合理的。哈勃说宇宙始于爆炸（众所周知的宇宙大爆炸），并且从那时起到现在一直在长大。他变得有名并与电影明星交往，一些人说他变得有些头大了（骄傲自大之意）——也许他的头也在膨胀？

捉弄一下你的老师

你所需要的是一个空的松脆的袋子和极大的勇气。课间时，你只需跟在老师后面把那个袋子猛的拍破。当老师回过神来，甜甜地微笑并询问。

答案

如果运气好的话，老师会很为难地说"是的"，这种情况下你可以回答，"哦，可是我不那么认为，因为声音是空气中颤动的物质的波动，毫无疑问，太空中没有空气。"是的。大爆炸根本就不是巨响——它极有可能是在一片死寂中发生的。

可怕的健康警告！

如果你真要去这样捉弄你的老师，出了事可别怪我——事儿是你自己干的，好吗？

巨大的望远镜

自从哈勃时代以来，望远镜造得越来越大。现在全世界最大的望远镜是凯克望远镜，位于夏威夷的冒纳凯阿火山，望远镜从长10米的巨型镜头上采集光线。甚至太空中也有了望远镜，那是1990年发射的哈勃太空望远镜，是谁命名的这台望远镜，猜对了也没奖。更重要的是，20世纪30年代天文学家发明了一种新型的望远镜。

1932年，美国无线电

我发现了一个巨大的星系！

让我也看看！

哈勃望远镜能搜寻到宇宙很深的地方

工程师卡尔·詹斯基（1905—1950）发现有无线电讯号来自恒星并干扰他的无线电装置（这可不是外星人改编的流行乐曲——它们是无线电波，是由恒星自然地发射出来的，就像恒星也发光一样）。不久，科学家们便开始建造强大的、能收听到这些无线电波的无线电接收器。1967年，一台射电望远镜使一名学科学的学生约克林·贝尔监测到了第一颗脉冲星，那是一种能放出大量电波的恒星。

探测器和行星

从20世纪60年代起，科学家就已发射了空间探测器来拍摄其他行星的照片——例如，1976年探测器已在火星着陆，1998年再次着陆。并且，1969年，人类首次在月球表面行走。

今天，科学家们对与我们相邻的行星了解了很多，并且在20世纪90年代，他们甚至开始找寻其他的遥远恒星周围的行星了，就像环绕太阳的太阳系中的行星一样。伽利略肯定会大吃一惊的。但那还不是全部。

20世纪70年代，天文学家们发现了黑洞。黑洞是一些燃烧完了的又在自身引力作用下瓦解了的恒星。这种引力是如此的强大，以至于连光都无法逃脱。虽然事实上天文学家们并不能看到黑洞，但他们能检测到气体被吸进黑洞后放出的X射线。

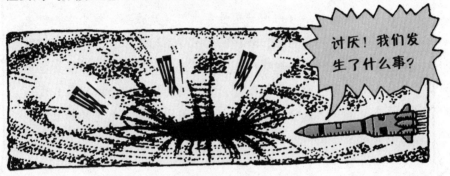

宇宙里的黑洞就像一个巨大的塞孔，它的吸引力是那么的强大，足以对任何被它吸进去的东西做出可怕的事情。

吸引力是如此的强大，以至于作用于火箭前端和后端的力的差别会使火箭拉长并将其撕裂。

有关黑洞的一些最有趣的工作，是由英国科学家斯特凡·霍金完成的。例如，1971年他用数学推算出，在大爆炸的前期一定存在小黑洞。1974年他再次用数学推算，发现黑洞会损失能量。直到那时，他才真正对他的课题产生热情，哈哈！

你肯定不知道！

霍金因患有一种肌肉衰退性疾病而导致残疾，他坐在轮椅中不能行动。另一场病后，外科医生不得不切除了他的声带，现在他连话也不能说了。取而代之的是，他把字打入电脑，要么显示在屏幕上，要么由一台能将计算机代码转换成声音的叫做合成器的装置说出来。尽管如此，霍金依然闻名于世，他是世界最畅销图书《时间简史》的作者，在一部流行电视剧中担任主角，还在《星际旅行》剧中有一段剧情演出。

怎么样？你是否也想成为一名像哈勃或是霍金一样从事天文学研究的科学家？也许不？既然你还在考虑，为什么不读读下一章呢？它讲述了一门完全不同的科学和另一群痛苦的科学家。

化学家
的故事

可怕的炼金术士

　　乌格斯家族的人们看到周围的各种材料都非常感兴趣，就像小孩子蹲在沙坑里玩耍那样兴致勃勃。他们喜欢各种颜色的黏土和岩石，还用它们来创作山洞壁画。在那个年代，这可是最热门的新发现之一。乌格斯夫人甚至还编写了简要的说明。

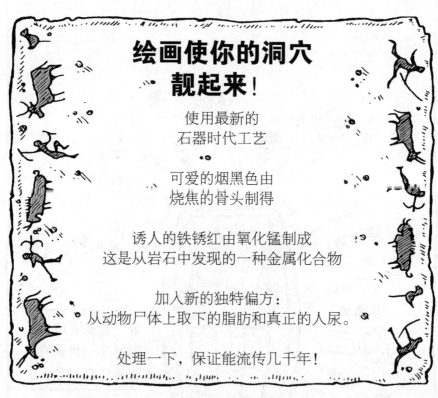

绘画使你的洞穴靛起来！

使用最新的
石器时代工艺

可爱的烟黑色由
烧焦的骨头制得

诱人的铁锈红由氧化锰制成
这是从岩石中发现的一种金属化合物

加入新的独特偏方：
从动物尸体上取下的脂肪和真正的人尿。

处理一下，保证能流传几千年！

　　这些颜料都是经过不断摸索，反复尝试才获得成功的。你可能认为，早期人类学会用更为科学的方法制造颜料是很容易的事。那你就错了，因为那时人们还根本不懂化学（甚至亚里士多德也不懂化学）。确实，这是一门特别神秘的"科学"。

炼金术的出现

炼金术士的目标是将廉价的金属——像我们熟悉的、不讨人喜欢的铅——炼成有光泽的、闪闪发亮的、诱人的金子。正是人的贪婪的本性激励着炼金术士，而不是对科学的好奇心鞭策他们去发现真理。

烦人的历史学家说：

古希腊、印度和中国都有一群这样的人，我们历史学家认为中国人独立地创造了自己的炼丹术。因为中国人的目标有点不同——他们试图发现一种能让人吃的、使人长生不老的特殊的丹药。尽管无人知晓炼金术是从哪里起源的，但是通过贸易，炼金术在希腊和印度之间传播开来了。

浪费时间

炼金术士花了大量的时间加热、混合各种金属，寻找能够制成金子的神秘配方。事实上，在那个年代，炼金术士可能更多地依靠神秘的魔力，而不是做实验去寻找秘方。听起来很可笑，是吧？浪费时间吧？！是的，比起今天的自然科学课更浪费时间。

蟾蜍的舌头配上发霉的奶酪一起搅匀，能转变成金子。

炼金术士　　自然科学老师

哎哟，真不知道这家伙是怎么想的！

烦人的科学家说：

现代科学家知道每种物质都是由原子组成的，金原子在重量上和电子的数量（参见第19页）上都与别的原子，比方说铅原子不同。古代炼金术士采用当时的技术是不可能改变物质的原子结构的。

炼金术：好消息

尽管炼金术的主要目的在今天看来没什么意义，但炼金术士发现了许多有趣的事。例如，阿拉伯炼金术士贾比尔（721—815）发现了如何煮沸醋制成一种叫乙酸的强酸，但是他的最伟大的发现是知道怎样制成一种叫氨气的气体——通过煮沸尿液制成氨气。炼金术士还知道怎样使物质干燥，直到形成结晶。他们还掌握了一种叫蒸馏的工艺。

难以描述

到底什么是蒸馏呀？

答案

蒸馏技术在化学中用来分离液态物质。操作过程是：加热液体至沸腾，气体出现后，让气体进入另一个容器，又冷却成液体。因为物质的沸点不同，加热时混合物随着温度上升，一点一点地从液体中挥发出来，于是一些物质挥发出来进入另一个容器，而另一些像烂泥巴一样的沉淀物则留在蒸发器的底部。

生活在公元1世纪的亚历山大城的炼金术士——犹太女子玛丽亚，发明了一种装置，被以后的科学家使用。玛丽亚设计的蒸发器能够很好地慢慢地加热化学物质，她还设计了另外一种容器，专门用来作蒸馏用。

但炼金术也有坏的一面。

炼金术：坏消息

因为炼金术士基本上都走入了歧途，所以一些人被引诱去行骗，这些人都是骗子……

**首席检察官戈尔德的
犯罪案件记录本**

我用了15年时间追踪一帮被称作"炼金术士"的、冷酷的、神秘的坏蛋。在这本笔记本中，我列出了被这群坏蛋所利用的技术。

我所列举的最令人震惊的一个坏蛋就是芭芭拉女皇。

继续……

姓名： 芭芭拉

职位： 神圣罗马帝国的前女皇

女皇 →

很显然，芭芭拉在她丈夫西吉斯蒙德于1437年突然死后，就变成了一个"身无分文"的女皇。她转向用炼金术挣钱，她一定认为这是个绝好的机会。我的信息员——懒惰的约翰拜访了这位女皇，向她介绍了如何制造假银子、假金子。

懒惰的约翰

假金子是把铁同草本植物藏红花混合起来，以显示出黄色，再配以铜和其他物质。假银子中含有有毒的汞和砷。

除了谎言和欺骗我什么也没有看到，我谴责她。她立刻打算把我押入监狱，但在上帝的帮助下我逃走了。

很显然，这位女皇的行为对社会是一种危险，公众不得不一直与假金子、假银子作斗争。记住，没有什么比金子更诱人了。

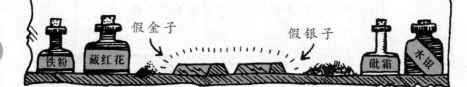

铁粉　藏红花　假金子　　　　　假银子　　　砒霜　水银

科学家费了很多年才明白炼金术根本没有用。1661年，爱尔兰出生的多病的化学家罗伯特·波义耳（1627—1691）受培根著作的启发，写了一本书，提出一个关于化学物质的理论（尽管他还不能证实）。

艰难的科学档案

名　称：元素与化合物

基本事实：1.波义耳提出（他是对的），有些基本化学物质你不能再将它分成其他别的成分，这就叫元素，每种元素都是由一种原子组成的。

元素是最基本的、不可再分的东西。

罗伯特·波义耳

元素化合物

2.其他更为复杂的物质是由许多元素混合起来的，波义耳把它称做"化合物"。

艰难的细节：波义耳仍旧相信炼金术，他认为金子是一种化合物，可以用混合法制成金子，只要用对了元素。

虽然如此，至少波义耳促进了科学家用更为科学的方法合成化合物。所有这些使得一门新学科——化学建立起来了。我敢打赌你从不知道，一位世界上有名的早期化学家曾经在这个世界隐身了60年。你可以从下面的内容里读到他。

古怪的卡文迪许

让我们在遐想中漫游1760年的伦敦。如果走运的话，可以看到那个衣着鲜艳，但是害羞的科学家，他像一个怪异的隐士，你能认出他吗？

不，他已经走远了。

为什么他这么神秘？

可怕的科学荣誉殿堂

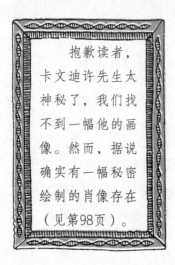

抱歉读者，卡文迪许先生太神秘了，我们找不到一幅他的画像。然而，据说确实有一幅秘密绘制的肖像存在（见第98页）。

亨利·卡文迪许（1731—1810）国籍：英国

亨利·卡文迪许是个富人，非常富有，以现在的钱来计算，他的钱超过1亿英镑。他是个勋爵的儿子，从父亲这边讲，他是德文郡公爵的孙子，从母亲那边算，他是肯特公爵的外孙。一开始，年轻的亨利就进了一所一流的学校，还有大把的零花钱。

但是金钱并不能给他带来快乐。当他两岁时，妈妈去世了，小男孩变得越来越害羞、孤僻。他上了剑桥大学，却没拿到学位，不是他笨，他对科学已经有了浓厚的兴趣，他只是害怕在众人面前讲话（想获得学位就必须得在教授评委面前回答问题）。

这以后他一生的时间一直在做科学实验，并且避免与人讲话。当然，他从来不接受新闻界的采访——你看过那些印有名人光辉头像的杂志吗？噢，想象一下这样的杂志印上亨利·卡文迪许的特写会怎样。

明星杂志

亨利·卡文迪许
金牌科学家
兰德尔·斯坎德

本期明星杂志介绍的是在伦敦自己家里都难见踪影的传奇隐士亨利·卡文迪许，这位亿万富翁致力于科学研究。我们花了两年的时间才见到这位科学家，他同意见我们仅仅因为我们杂志的名字听起来似乎与天文学有关。科学是他所谈的唯一话题，而且他仅与几位科学领域里的朋友交谈。尽管他很有钱，卡文迪许先生的生活却很简朴，几乎不花什么钱。

他不喜欢同仆人讲话，只是留下字条告诉他

们自己想吃什么。据仆人披露，有一次卡文迪许先生看到一个女仆，他很沮丧看到与科学无关的人，马上解雇了这个姑娘。后来他在房间里修了一条专用楼梯，这样他就能独自上下楼梯了。

卡文迪许先生领我们参观了他在克拉菲的私人实验室，给我们讲了我们听不懂的科学事实。

他说话声音很尖，总是担心别人看见他。无论何时他走进哪个房间，尖锐的说话声都是让别人离开的信号。下面这幅肖像肯定是偷偷画的。

画上显出卡文迪许穿着

他最喜爱的紫罗兰天鹅绒外衣。很显然，他从来不穿别的外衣。幸运的是食物油脂和化学物质的污迹在这件衣服上还不太显眼。

更为古怪的科学家

你知道古怪的科学家吗？你的自然科学老师怎样？有没有特别的习惯？或许当他们陷入沉思时会把指关节捏得咔咔响，或者会坐在运送设备的手推车里叫人推着，或者走路时会撞上电线杆。

或许他们符合流行的疯狂科学家的形象？假如你决定成为一个科学家，你想同他们一样吗？

下边就有这样一些例子……

第一课

在学校走廊骑自行车。

重要提示

假如你因为这样做而被学校开除，可不是我们的错——对吧？

英国科学家爱德加·艾德里安（1889—1977——是的，这是个喜欢横冲直撞骑车的家伙），在剑桥实验室就是这样做的。但就是他发现了神经刺激越强，神经信号越强，并因此获得了1932年的诺贝尔奖。他就是带着这些怪僻离开学校的。

第二课

在科学兴趣的驱使下吃可怕的东西。

我知道你肯定吃过学校的饭，但味道不好。有人曾经给英国地质学家（是研究岩石的科学家）威廉·布可兰（1784—1856）出示过法国国王路易十六干缩的心脏，布可兰是因为发现岩石会分层而著名的科学家。当时他肚子正饿着，他叫喊道："嘿！我以前从来没有吃过国王的心脏！"然后就看也不看地开始大嚼特嚼起来。

第三课

在学校穿奇装异服。

苏格兰科学家威廉·默多克（1754—1839），是他找到了从煤中制造煤气的方法。他在找工作面试时戴了一顶家里做的木质的高帽。生物学家哈勃·斯宾塞（1820—1903）爱穿一件像婴儿衫一样的外套。当然，若是老师不理解这些人是天才，很可能会写一张粗鲁的便条给他父母，打发他回家。

现在再来讲讲卡文迪许，他在那间秘密实验室里做什么？

卡文迪许的秘密笔记本

那个记者——兰德尔·斯坎德设法借到了卡文迪许的秘密实验笔记，让我们看看里面都写了些什么：

亨利·卡文迪许的
实验室笔记本
不对仆人或其他人公开

谁也不许看！

单独工作中我发现了一系列新气体。1766年我往大理石上倒酸，出现一种新气体。我把它称做"不挥发空气"。

然后我决定往铁上倒更多的酸，这时候另一种气体出现了。它似乎比空气轻，更易燃烧，我把它叫做"火空气"，我想我们周围的空气中可能就有火空气。

烦人的科学家说：

这种气体现在叫二氧化碳，常用来在碳酸饮料中作气泡用，还用来作灭火剂。

烦人的科学家说：

抱歉，又打扰了。

有种气体现在叫氢气，把氢气加进人造黄油中，就会使得这种比较稀的油变稠。你可以把它抹在面包上吃，就像黄油一样。在空气中、在星球上如太阳上，能发现氢气的踪迹。氢还可以作火箭燃料送火箭上月球。

1784年，我已经有了试验"火空气"的新想法。

首先，我要用猪的膀胱（呀，我得留个字条叫仆人给我洗一个猪膀胱。我不打算与他们讲话，我就是这样）。第二步，我把猪膀胱放在一个结实的玻璃容器中，在猪膀胱中充入两份火空气，一份氧气（氧气是火空气中另一种气体）。最后，我把烛火伸向膀胱开口处，然后隐蔽起来。

哦，糟糕——有脚步声，有人来了！噢，还好，只是一个女仆被爆炸声吓跑了！火焰点着气体发生爆炸。猪膀胱被炸成碎片，玻璃容器也被炸花了，像蒙了一层雾。这雾气是什么？是尿吗？我想猪膀胱是洗干净了的！噢，还好，好好检查一下，看看是什么？舔一下，尝尝，是水！这可以证明水是两份火空气和一份氧气构成的。

烦人的科学家说：

我不得不说，卡迪文许又对了，水确实是由氧原子和氢原子组成的。

你能找到制出二氧化碳的方法吗

你可能需要:

▶ 半杯纯橙汁

▶ 一茶勺和面用的苏打

你需要做的:

将和面用的苏打加入橙汁中并充分搅拌

会有什么现象出现呢?

a) 橙汁变绿

b) 橙汁开始出现气泡

c) 橙汁摸起来变暖

答案

b),起泡是因为橙汁中的酸和苏打起了化学反应引起的。你可以往橙汁中加些水、糖和冰,然后享用你自己做的碳酸饮料。谁说科学总是可怕的!

卡文迪许非常害羞,他从来没有告诉任何人关于他的大多数发现。直到另一位科学家詹姆斯·克拉克·麦克斯韦(1831—1879)偶然发现了卡文迪许的笔记本后,才使得这些发现在100年后大白于天下。那时另一位科学家发现了同样的事实,并因此获得了荣誉。在下一章里,有一位科学家是由于运气不好而没有获得荣誉,而不像卡文迪许是由于害羞而没有得到荣誉。这位科学家可是史上最不走运的苦难的科学家之一。

接着读下去,但得准备好纸巾擦眼泪……

受苦受难的科学家舍勒

毫无疑问，卡尔·舍勒（1742—1786）是世界上最伟大的化学家之一。问题是直到他死后很久，人们才开始赞赏他。这对受苦受难的舍勒来讲并没有什么用，下面就是他的故事……

可怕的科学荣誉殿堂

卡尔·舍勒（1742—1786）国籍：瑞典

舍勒不像这本书里的其他科学家那样，是大学教授，有着一份舒适的工作，他一生的大部分时间都是一位卑微的药剂师的助手。这意味着他必须整天混合各种化学物质制成药剂，在他不多的空余时间里研究他的唯一爱好——化学。

工作：混合化学物质

业余爱好：混合化学物质

光辉的突破

　　舍勒在18世纪70和80年代，取得了一系列的巨大发现。在每天夜里的令人惊奇的几个小时里，在寒冷潮湿的、味道难闻的房间里，舍勒取得了令人难以置信的成就。他发现了5种元素（还记得吗？是不同类型的原子）。

舍勒发现的元素和它们现在的用途

　　为了让这部分内容变得更有趣，我们在舍勒发现的5种元素中多加了一个假元素，你能找出来吗？

别把鼻子伸到水里闻，傻瓜！会呛死的！

1. 氯气

用途：可以给游泳池杀菌，你在游泳池里闻到的就是氯气的刺鼻气味，同样在你喝的水里也加有氯气。

2. 钡

用途：钡是可以在X光下显示的金属，病人吃下含钡的难吃的药剂后，在X光下会显示出内脏中有阻塞的地方。

3. 铼

用途：一种高效的杀虫剂，用来疏通特别难闻的下水道。

啊！

啊！我的膝盖，天哪，这辆车要加点锰！

4. 锰

用途：在钢或铝中加点锰能使它们更硬些。你家的汽车里就有。

5. 钼

用途：润滑油中有钼，润滑油是更高档的油，抹在自行车链条上可以防止链条嘎吱嘎吱响。

6. 氮气

用途：液氮（低温时氮呈液态）可以用来保存尸体。一些人花钱用这种办法保存他们的身体，希望将来能复活。氮也是炸药和染料中的成分。

3。

其他发现

舍勒还发现了舍勒绿——一种含有铜和有毒物质砷成分的绿色染料，他还找到了从骨头中提取磷的方法——磷是肥料中的有用元素，原来只能从人尿中提取。

不要那样，试试舍勒的新肥料吧。

但是，舍勒的最伟大的发现并没有给他带来荣誉。看看下面是怎样报道的。

号外

1775年9月21日

我被剽窃了！

本地科学家卡尔·舍勒严厉指责两位著名科学家剽窃他的发现。

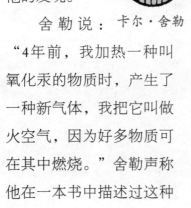

舍勒说：

卡尔·舍勒

"4年前，我加热一种叫氧化汞的物质时，产生了一种新气体，我把它叫做火空气，因为好多物质可在其中燃烧。"舍勒声称他在一本书中描述过这种气体，但这本书还没有出版。舍勒辩解道："现在，无耻的英国人约瑟夫·普里斯特利和法国人安东尼·拉瓦锡正在夸耀他们发现了一种气体叫氧气。想想看我曾写信给拉瓦锡告诉他我的发现！我必须阻止他们侈谈我发现的气体！我可以告诉你我被他们毁了。"

约瑟夫·普里斯特利　安东尼·拉瓦锡

烦人的历史学家说：

舍勒的书直到1777年才出版，原因是著名的瑞典科学家特波恩·伯格曼（1735—1784）一直没有被说服来给该书写序言。

烦人的科学家补充说：

现在，氧气用在医院里帮助肺部有问题而呼吸困难的人，潜水员和宇航员若没有氧气罐会很快死去，焊接时也需氧气燃烧乙炔气体，产生高温火焰。

试试用焊枪烤面包片

两种气体在这儿混合

要点提示：

要成为著名科学家，光发现新的科学规律是不够的，你还需要一张会说的嘴，赶在别人跳出来攫取荣誉之前，告诉全世界你的发现，取得大家的认同。

非常失望

还有更糟的，舍勒有一个真正的坏习惯。对他新发现的所有化学物质都坚持尝和闻。这确实是早期化学家的通病。

可怕的健康警告！

危险的化学品是不能闻或尝的。这在自然科学常识课上或者家里都是极端不健康的做法。假如模仿卡尔·舍勒的做法，你会像他一样很快死掉。舍勒发现了几种有毒的化学品，如氢氰酸。可能是过度劳累再加上尝、闻有毒物质，导致了他的早亡，去世时年仅43岁。

更为不幸的化学家

你可知道，舍勒并不是唯一不幸的化学家。

1. 1848年，德国化学家罗伯特·冯·梅耶（1814—1878）提出一个概念：当物质混合形成新的物质时，所有参与反应的化学品的总能量不增加也不减少。这个概念是正确的，但被人接受得太慢了。梅耶非常沮丧，以至于在精神病院住了几年。

2. 1858年，苏格兰化学家阿奇伯尔德·库柏（1831—1892）正在巴黎上学，他提出了化学上叫做苯的物质（这种物质后来被用在染料工业上）的原子排列方式。

但是结果公布之前，德国化学家弗里德里希·凯库勒（1829—1896）得出了同样的结果，并且得到了认可。库柏因为伤心而发疯——最后在巴黎跳进了塞纳河！

3. 1783年，天才的法国化学家尼克拉斯·勒布朗（1742—1806）赢了一场比赛，这场比赛是由法国科学院设立的，目的是找到从盐中提取苏打的方法。苏打是制造肥皂的关键原料，勒布朗找到了提纯苏打的方法。

勒 布 朗 的

肥皂

▶ 用勒布朗的肥皂可以清洁身体。

▶ 可以洗得越来越白。

▶ 在新发明的流程中使用硫酸。

廉价的肥皂和简单的配方！

以前

之后

但是吝啬的法国科学院一直没给他奖金。1806年，穷困潦倒的勒布朗在绝望中结束了自己的生命。

虽然上面这些科学家都是失败者，但他们至少还保全了自己的脑袋。告诉你们，接下来你们将读到一位非常不幸的科学家，他真的掉了脑袋。大家往下看吧……

不幸的拉瓦锡

安东尼·拉瓦锡有可能窃取了舍勒的发现，但正如人们所评价的那样，他仍然是一个伟大的科学家。他一生的大部分时间看起来都不太走运，他本来富有、快乐、成功，但是后来事情全变了。

可怕的错误！

可怕的科学荣誉殿堂

安东尼·拉瓦锡（1743—1794）国籍：法国

拉瓦锡的爸爸是一个富有的巴黎律师，年轻的拉瓦锡在法律（那是他爸爸的意见）和科学（那是他真正的兴趣）方面受到了极好的教育。他同时也是法国科学院的一员，做过一些像巴黎供水工程之类无聊的项目，这些东西肯定索然无味。

独创的化学

▶ 1772年，拉瓦锡发现物质可以以气体、液体、固体3种状态存在，这完全取决于它们的温度有多高。以水为例：

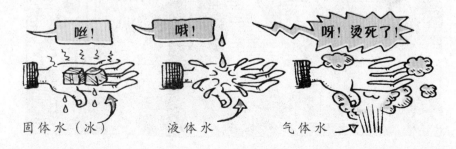

唑！　　哦！　　呀！烫死了！

固体水（冰）　　液体水　　气体水

111

▶ 18世纪70年代，拉瓦锡发现物质生锈和燃烧都需要氧气，化学家把这一过程称为氧化反应。

▶ 拉瓦锡还发现，水由氧和氢组成（还记得吗？卡文迪许已经证明了这点，但没告诉别人）。

▶ 最重要的一点是，拉瓦锡坚持他所用过的化学品都要仔细称量，他的实验都要精确记录。

其他化学家以前从未这样做过，这使别的科学家很难判断出这种有趣的棕色液体是一个新的化学反应的结果，还是一个令人尴尬的错误。

收税员的恐惧

1768年，拉瓦锡在一家私人税务公司任收税员。尽管这家公司运转良好，可收税员在当时并不太受人欢迎，它并不是一种结交朋友的好方式。当法国革命爆发时，收税员被错误地指责为偷窃了公众的钱财。于是，1793年，拉瓦锡被捕入狱。

考一考你的老师

拉瓦锡被指控的，还有哪项罪名？

a）强迫儿童做童工，干重活儿。

b）在香烟中加入危险的化学品，使人致病。

c）在他重感冒期间，用法国国旗当手帕。

答案

b），事实上，正如拉瓦锡所言，并没有证据证明这项指控。但在1793年，法国人常常在没有足够证据的情况下被处死。

拉瓦锡的夫人玛丽·安妮决定挽救她丈夫的生命。她写信给拉瓦锡的科学界同仁，包括安东尼·福克罗（1755—1809）。

这是她写给福克罗的信：

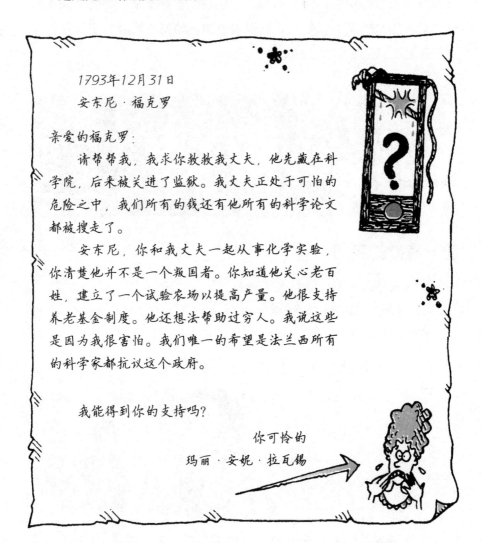

1793年12月31日
安东尼·福克罗

亲爱的福克罗：

　　请帮帮我，我求你救救我丈夫，他先藏在科学院，后来被关进了监狱。我丈夫正处于可怕的危险之中，我们所有的钱还有他所有的科学论文都被搜走了。

　　安东尼，你和我丈夫一起从事化学实验，你清楚他并不是一个叛国者。你知道他关心老百姓，建立了一个试验农场以提高产量。他很支持养老基金制度。他还想法帮助过穷人。我说这些是因为我很害怕。我们唯一的希望是法兰西所有的科学家都抗议这个政府。

　　我能得到你的支持吗？

　　　　　　你可怜的
　　　　玛丽·安妮·拉瓦锡

你认为福克罗会怎么做？

a）代表老朋友强烈抗议法国政府。

b）组织一个科学家的抗议游行。

c）什么也不做。

答案

c），福克罗和其他法国科学家并没有动一个手指头，他们知道如果他们呼吁的话，他们也将因密谋反对政府而被捕。

1794年5月7日，拉瓦锡写了一封信给玛丽·安妮：

5月7日
卢森堡监狱，巴黎

我最亲爱的：

我注意到昨天你是那么悲伤，既然我已经准备忍受未来的一切，你为什么还要那样呢？

爱你的丈夫
拉瓦锡

接着，他给他的堂兄奥热兹·德·维勒写了封怒气冲冲的信：

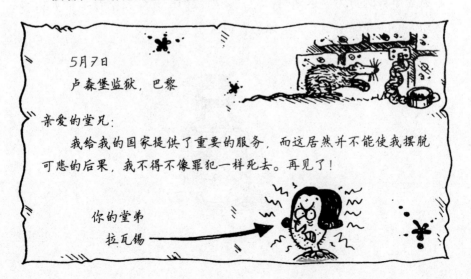

5月7日
卢森堡监狱，巴黎

亲爱的堂兄：

我给我的国家提供了重要的服务，而这居然并不能使我摆脱可悲的后果，我不得不像罪犯一样死去。再见了！

你的堂弟
拉瓦锡

　　第二天，拉瓦锡被革命法庭判处死刑。正是那天下午，这位科学家和其他27个收税员被迫站在敞篷马车上穿过巴黎街道。他们被绳子绑着，排成一行站在台上。断头台上血污的刀锋一个接一个地砍下了他们的头。整个过程拉瓦锡都平静而勇敢地站着，安慰他的朋友直到最后一刻。

　　两年以后，拉瓦锡的尸体从一个没有标志的墓中被挖出来，重新体面地安葬。福克罗作了一个慷慨激昂的演讲。

　　但拉瓦锡夫人拒绝同他讲话，她永远不会原谅福克罗和其他科学家见死不救的行为。这期间，拉瓦锡所致力的化学科学开始有了新的激动人心的发现。在下面，你会看到这些变化。

现代化学的"调酒师"

如果拉瓦锡能从坟墓里爬出来，看看现代化学实验室，他一定会感到惊讶（当然远远赶不上现代化学家看到拉瓦锡所表现的惊讶，特别是如果他忘记把他的脑袋装上去）。

在现代实验室里，所有令人厌烦的工作，像搅拌几小时，都是由自动控制装置完成的，物质能够用电进行非常精确地加热，像电炊具一样，但比电炊具更能灵敏地控制。

实验设备不是用来煲汤的，帕金斯！

敏感的科学家

敏感的实验设备

拉瓦锡时代以后的主要化学成就表现在以下两个方面：了解各种化学元素，并将之组合起来形成有用的新的化学物质。

探索化学元素

到1869年为止，化学家已经找到了很多的元素，这些元素让人们产生更多的迷惑。这时，俄国科学家德米特里·门捷列夫（1834—1907）发现，人们可以将这些元素按重量和与其他元素的结合能力排序，这个排序表就是门捷列夫发现的元素周期表。当门捷列夫在这个表中发现一些空位时，他便大胆地预测：这是因为这些元素还没有被发现。事实证明他是对的，随后，这些元素被纷纷发现了。

在20世纪20年代期间，随着科学家对原子认识的加深，他们知道了如何将元素结合在一起。原子的最外层需要一系列的电子，原子共享并交换电子，这样原子就结合在一起了。

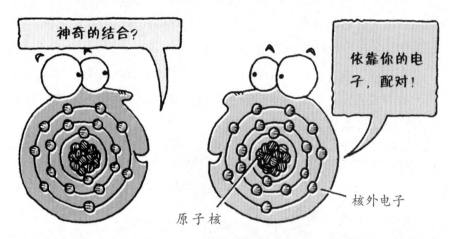

神奇的结合？

依靠你的电子，配对！

原子核

核外电子

在这些知识的基础上，化学家将化学物质混合，并知道哪些物质能够结合。现代化学家已经发明了一系列重要的物质，如塑料，包括人造纺织品尼龙、特氟隆。你爸爸试图做大米布丁时，特氟隆可以防止布丁渣子粘在平底锅上。

然而，没能阻止它粘在我们的肠胃上。

化学家同时也在生物领域从事了一些很重要的工作。例如：在20世纪40年代，美国化学家莱纳斯·鲍林——他同时也是一个在原子水平研究化学反应的专家——探究出了蛋白质的结构。蛋白质是由数以千计的原子组成的化学物质，存在于活的生物体中以及像牛奶、奶酪之类的食品中。你身体中的蛋白质执行着重要的任务，例如，它能组成你的肌肉，或者是一种叫做酶的化学物质的一部分，酶能帮助你吸收食物。鲍林鼓励更多的科学家从事这方面的工作，这个新的学科就是所谓的生物化学。

谈到生物化学，就请阅读下面生物学家的故事吧。

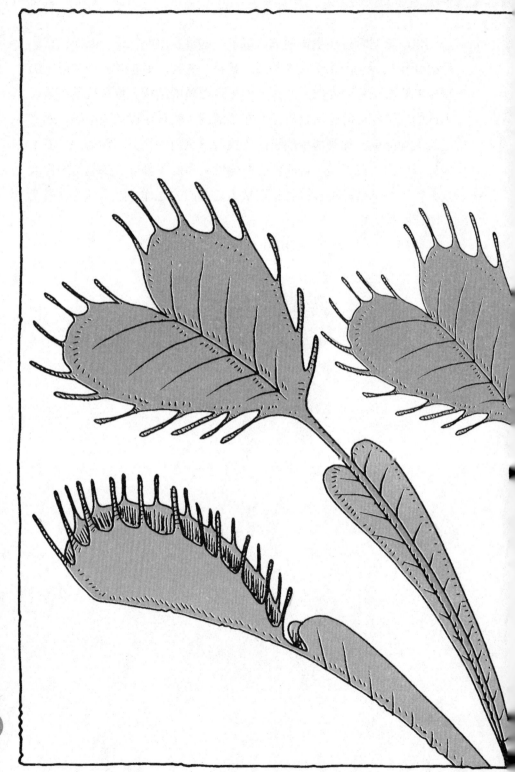

生物学家
的故事

当个生物学家可真不容易呀！

知识来自生活

　　还在考虑要不要当一个科学家吗？噢，你大可不必现在就做决定。当你走进大自然，或者你突然对不可思议的生命机制——你自己的身体着迷的时候，你可能很想成为一个生物学家。如果真是这样的话，给你一个警告，从前生物学家和其他科学家一样曾遭受很多苦难。

　　我们石器时代的朋友乌格斯，由于某种原因对动植物世界产生了兴趣。不过他们可不是在研究动物学，而是在寻找食物。他们对猎获的动物了如指掌。

　　经过反复尝试，他们很早就发现了哪些东西可以吃。

由于一些动植物是有毒的，所以他们在寻找食物的过程中不可避免地要犯一些致命的错误。

众所周知，亚里士多德开辟了研究自然界的新方法——观察自然界（你如果不知道，赶紧翻回第26页）。奇怪的是，直到17世纪人们才开始正确理解并接受亚里士多德这个合情合理的想法。

烦人的历史学家说：

我们不能简单地解释这种现象。当时人们的活动范围不大，他们看不见在这个范围之外的很多动植物，他们只熟悉自己领域内的动植物，但是事情总是在变化着。16世纪，欧洲人开始探索世界，他们看到奇怪的动植物就把它们带回家去研究。最早的生物学家是一位勇敢的美术家，他对昆虫有着特殊的感情……

123

蚊子与被咬的玛利亚

试想一下，你正在吃学校提供的午餐，这时你发现一条蠕动着的绿色毛虫正在和你一起分享这顿饭，你会……

a）脸色变绿，考虑扔掉？

b）将毛虫和番茄酱一块狼吞虎咽地吃掉？

c）将毛虫详细地画下来，以便帮助科学家去鉴定它？

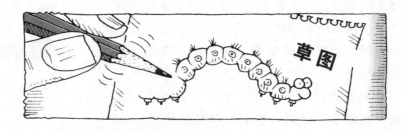

热心的人肯定会毫不迟疑地选择c）。

可怕的科学荣誉殿堂

玛利亚·莫里恩（1647—1717）国籍：荷兰

玛利亚出生在德国，她的父亲从事有
关花卉图画的出版工作。在玛里亚还是小
孩子的时候，她的父亲死了，母亲改嫁给
了一个名叫雅各布·玛瑞尔的花匠。显而
易见，玛利亚的母亲对那些热衷于植物的
艺术家有着特殊的感情。

玛利亚的继父教她画花卉。她长大
后就用花的图案去绣丝织品，以此维持生
活。但是很快，她迷恋上了虫子，例如毛虫，它们经常出现在她所画
的植物上。她甚至还写了一本书，书中描绘了处于不同生长阶段的漂
亮的昆虫。

亲爱的，张开你的
翅膀，别动！

靓丽的昆虫

玛利亚嫁给了她父亲一位搞艺术的学生。但是在1685年，玛利亚
离开了他，然后住进了一个宗教自治村。在那儿，她开始收集来自南
美洲国家苏里南的昆虫的尸体。这是一项令人嫌恶的工作。我们中的
大多数人也许会说："我希望这些昆虫从来没有出现过。"但是，玛
利亚从来没有这样想过，她被这些奇怪、丑陋的生物迷住了。

125

因此，玛利亚和她的女儿多萝茜决定到苏里南，研究野生的昆虫。这是一个令人费解的、勇敢的决定，因为这意味着她们要进行一项持续几个月的危险旅行，而且还伴随着暴风雨和海盗攻击的危险，更不用说苏里南还以流行热带疾病著称。

你肯定不知道！

当科学家们不得不到遥远的地方去搜寻岩石、植物或动物以做研究之用时，他们经常面临危险。美国科学家爱德华·科比（1840—1897）为了寻找骨骼化石而到了中东，在那儿他勇敢面对敌对的土著人的袭击。尽管如此，爱德华还是拒绝带枪保护自己。相反，当他遭到土著人的袭击时，他会摘下自己的假牙。震惊的土著人居然被他的假牙吓跑了……现在我们接着说玛利亚。

这很可能是玛利亚的家信：

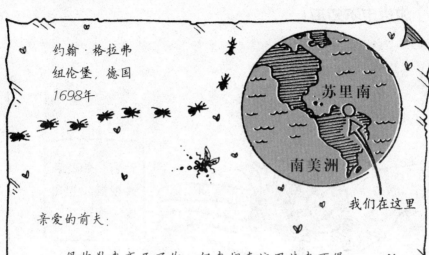

约翰·格拉弗

纽伦堡，德国

1698年

苏里南

南美洲

我们在这里

亲爱的前夫：

很抱歉我离开了你，但我们在这里使我不得

不离开你。我和多萝茜现在住在苏里

南（顺便提一下，这是南美洲的一个

国家）。丛林中到处爬满了各种各样的虫子：多

毛、有毒、碟子般大小的蜘蛛，巨大的蝴蝶，五

彩缤纷的甲虫，成群结队的蚂蚁，奇妙的黄蜂和

令人惊叹的飞蛾。真是太棒了！为了编写一本

书，我们将尽力去捕捉并描绘尽可能多的昆虫。

但是我不喜欢这里炎热的天气和蚊子。哎哟，刚被蚊子咬了

一口。很不舒服，很高兴你不在

这儿。

爱你的玛利亚

哎哟！

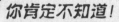

你肯定不知道!

　　玛利亚雇佣的当地向导很喜欢开玩笑。他们常常把两个不同昆虫的一半身体黏合到一块,然后就声称他们发现了一种新的昆虫。于是,玛利亚就毫无察觉地把这些令人厌恶的昆虫尸体画进她的书里。

天哪!如此巨大的蜗牛型蜜蜂,谢谢!

丰富多彩的昆虫书

　　玛利亚病倒了,她患了黄热病——由蚊子传播的一种疾病。尽管她再也没能恢复健康,但她还是尽力在1705年出版了她的书——《苏里南昆虫绘画集》。这是一个巨大的成功,也使欧洲昆虫学家第一次看到奇异的令人惊讶的南美洲的昆虫。

要点提示:

　　在照相机发明之前,科学家不得不亲自绘制他们的实验和结果,以便其他的科学家能看到他们所要讨论的东西。很难想象科学家居然要携带着画笔去进行科研工作,但是在摄影技术出现之前,他们不得不努力这样做。

你肯定不知道！

生物学家发现他们自己正在描绘的最奇怪的景象是通过显微镜观察到的东西。显微镜这个重要的发明大约是在1590年实现的，但是透镜和放大率是由荷兰科学家列文·虎克（1632—1723）改进的。1676年，当虎克观看从自己的牙齿上刮下来的已经发臭的腐烂食物时，他看到了细小的蠕动着的东西，它们就是我们现在所谓的细菌。

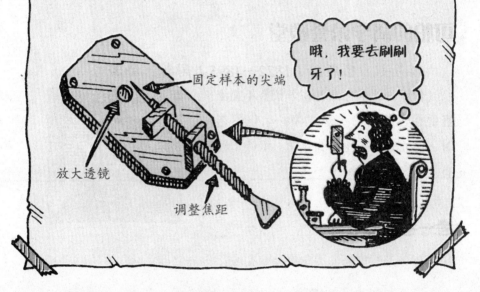

固定样本的尖端

放大透镜

调整焦距

哦，我要去刷刷牙了！

但是细菌中藏着一个致命的秘密，直到19世纪才被揭露。在这方面，一对聪明的法国夫妇做出了关键的发明。

不要告诉他们我们的秘密！

放心吧，我根本不会讲法语！

强有力的合作

玛丽和路易士·巴斯德是一对科学夫妇。尽管巴斯德理所当然地得到了大部分荣誉，但他的妻子玛丽也功不可没，尤其在巴斯德向更高难度去探索致病的微生物时，玛丽是一个很重要的协助者。

可怕的科学荣誉殿堂

路易士·巴斯德（1822—1895）国籍：法国

青年时代的巴斯德在学校并不突出。当他在巴黎学习，想成为一名化学老师时，他才开始真正研究化学。很快，他就有了伟大的发现……

考一考你的老师

有一天，巴斯德冲出实验室大喊：

我有了伟大的发现……我兴奋得全身都发抖了。

他发现了什么：

a）一个月前丢失的袜子。

b）某些化学物质的结构存在两种形式，且相互成镜像关系。

c）一种先前未知的导致肿瘤的细菌。

答案

　　b），这个发现引出了一个新的科学分支——利用化学物质的反射光去研究这些物质中的原子排列。

细菌战开始了

　　巴斯德不仅仅是第一个研究细菌的人，他还做了大量其他的工作，在法国的一些大学教自然科学，在他的一生中，他……

　　▶ 提出了细菌致病的理论。在巴斯德之前，医生认为疾病是由坏气味导致的。

请原谅，我并不是有意的！

　　如果你在一个被堵塞的学校卫生间用力吸气，这气味将会使你呕吐，是不是？

　　▶ 发现了用高温加热杀菌的办法去贮藏酒。此过程就是现在我们所说的巴氏杀菌法，它的确会让你做麦片粥的牛奶不变酸。

　　▶ 发现了许多种引起疾病的细菌，例如炭疽热（一种非常危险

131

的疾病），以及一种鸡感染的叫做鸡霍乱的病菌。

▶ 发现通过加热的方法可以削弱、钝化细菌，直到它们被破坏，不再能快速繁殖。被钝化的细菌可以被注射到人体，从而刺激人体建立防御系统，以抵抗疾病（这就是接种"疫苗"）。1885年，巴斯德成功地挽救了一个名叫约瑟·麦斯特纳的男孩的性命，这个男孩被患有狂犬病的狗咬伤了，预先接种的"狂犬疫苗"让男孩保住了性命。

你肯定不知道！

1894年，巴斯德告诉玛丽的爸爸（一个大学的校长），他除了工作一无所有，这之后不久他们就结婚了。玛丽为丈夫写信，帮助他做试验，但是她曾经告诉她的孩子们：

你们的父亲很少和我说话……

重大的失误

巴斯德和玛丽在工作中非常仔细，他们几乎没有犯过大的错误，但是在一次试验中，巴斯德失去了一个极好的机会……下面很可能是他们的试验记录：

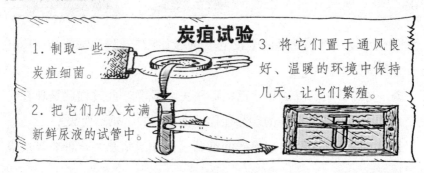

炭疽试验

1. 制取一些炭疽细菌。

2. 把它们加入充满新鲜尿液的试管中。

3. 将它们置于通风良好、温暖的环境中保持几天，让它们繁殖。

4. 加入一些不同种类的细菌，保持一两天。

不错！

5. 发现炭疽的数量停止上升。

结论：我认为是第二种类型的细菌产生出一些化学物质阻止了炭疽细菌的进攻。这可能是一个有价值的新药，但需要进一步的研究。

巴斯德没有继续研究这个问题，但是现在有一类药——抗生素，就是来自真菌和细菌产生的化学物质。这些抗生素能杀死如炭疽那样的细菌。苏格兰科学家亚历山大·弗莱明在1928年发现了第一种抗生素——青霉素。

巴斯德在45岁时中风了，使得他的左半身瘫痪。尽管如此，他仍在玛丽和其助手的帮助下继续工作。毫无疑问，他的脾气更坏了。1887年的第二次中风迫使他不得不终止了自己的科学生涯。

当生物学家向微小的细菌世界作更深的探索时，其他科学家正在猜测生命来自哪里，它们是如何在地球上发展的，这不仅涉及微小生物的生命，而且涉及所有的生命。其中，最著名的一个腼腆的英国人，却患有严重的肚子疼。

当当！

每当这时，他都表现得很腼腆。

犹豫不决的达尔文

1831年，查尔斯·达尔文启程开始了他的世界航行，这次航行改变了自然科学的历史。现在，任何一本令人厌烦的自然科学书都在讲述这件事，但你很可能不知道"贝格尔"号上的船长——罗伯特·菲茨罗伊（1805—1865），曾经对这位科学家产生过怀疑，因为他相信一个人的性格是由他的身体特征决定的。他说：

我怀疑达尔文是否具有这种坚毅的性格——能熬过几年艰难的旅行，像他那样有着一个又宽又矮鼻子的人通常不会具有这种性格。

但是达尔文的确做到了，他有这种性格，你马上就会明白……

可怕的科学荣誉殿堂

查尔斯·达尔文（1809—1882）国籍：英国

青年时代的达尔文喜欢开玩笑。曾经有一次，他偷偷地从花园的果树上摘了很多苹果，然后企图戏弄他的父亲，说他发现了成堆的被偷来的苹果。达尔文的家人没有注意到他那滑稽可笑的一面，而且把达尔文送进学校。他的老师也不欣赏他，其中一个老师这样说：

长大后，达尔文真的不知道这辈子要做什么。开始，他到爱丁堡去学医，但是最终放弃了，因为当时外科医生做外科手术时，还不用镇痛剂。病人们都被紧紧绑住，常常痛苦得发出凄惨的尖叫，看到这些，达尔文感到非常难过。

达尔文决定学做一名牧师（当时，许多年轻人都进入教堂，并将此作为一种职业）。但是那些宗教课令达尔文感到厌烦，他将大部分时间花费在收集甲虫和蝴蝶上。后来，他从一个朋友处获知了"贝格尔"号即将环球航行的事。

考一考你的老师

1. 达尔文在航行期间感染了什么病？

a）晕船。

b）思乡病。

c）腮腺炎。

2. 达尔文怎样捕捉他要研究的动物?

a) 他将胶布放在地上, 然后去粘住它们。

b) 他用树枝和细绳做了一个简易的捕捉机。

c) 用枪杀死它们。

答案

1. a), 达尔文呕吐了几个月。这可能使得船长菲茨罗伊对达尔文的疑心更重了(如果你的老师选择了想家, 你可以算他半对, 因为达尔文的确想家——但是你应该善意地告诉你的老师——想家一般不被认为是一种疾病)。

2. c), 达尔文热爱鸟和小的毛皮动物, 同时他也喜欢射杀它们。

进化思想

99.9%的自然科学老师都会告诉你, 在航行期间, 达尔文已经开始思考物种(动物类型)随时间而改变的问题。这就是现在所谓的进化论。

艰难的科学档案

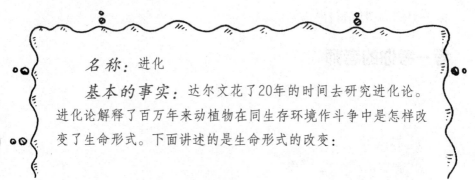

名称: 进化

基本的事实: 达尔文花了20年的时间去研究进化论。进化论解释了百万年来动植物在同生存环境作斗争中是怎样改变了生命形式。下面讲述的是生命形式的改变:

几百万年前兔子
的耳朵是短的

因此大多数兔子都被
饥饿的狐狸吃掉了

有着长耳朵的兔子，在狐狸偷偷走近它们的时候，就能察觉，因此它们能很快逃脱。

长耳朵兔子生存下来了，它们的兔宝宝也都有着一对长耳朵。

你们长着你们爸爸那样的长耳朵。

艰难的细节：

在进化的例子中，最著名的一个是太平洋中加拉帕戈斯岛上的龟。

加拉帕戈斯岛

这些龟壳的形状只允许这些龟以较高的植物为食。

不同岛上的龟在进化过程中，它们的壳都会有或多或少的差别。但是达尔文不研究龟，他喜欢喝用龟煲的汤。你会用你的宠物龟来煲汤喝吗？

不同的龟壳慢慢进化，这些龟可以吃到地面上的植物。

犹豫不决的达尔文

是否将进化论公布于众，达尔文犹豫不决，因为进化论是思想上的一个变革，然而他迟了一步。1858年6月，邮递员送来的一封信摧毁了他的整个世界，几乎毁掉了他的整个生活。这仅仅是另一个科学家——阿尔弗来德·卢塞尔·华莱士（1823—1913）发表的一篇文章，他提出了与达尔文相同的观点。

随后，这个理论被作为一个共同的发现，在一个科学大会上被公布。尽管达尔文首先想到，但是他晚了一步。

变质的争吵

达尔文的一生中，大部分时间都在遭受神秘疾病的折磨，就是现代的医生也不能确诊他到底得的是什么病。其症状包括每天早上的呕吐（对达尔文来说，这很像他晕船时的反应），以及令人尴尬的放屁。由于这个原因，达尔文总是试图避免与别人争论。

不要停止，继续读下去，事情会变得越来越热闹。

许多人认为达尔文的思想和《圣经》中的思想相冲突，因为《圣经》中说上帝创造了万物。更糟糕的是，达尔文的朋友声称人类可能是由类人猿进化来的。1860年，一场著名的辩论在牛津展开，当时有700人出席，场面是那么令人兴奋，以至于一名妇女当场晕倒。

牛津的主教首先做了一个演讲，攻击达尔文的进化论，然后他质问达尔文的朋友，托马斯·赫胥黎（1825—1895），他都从猴子那里遗传了什么东西。

你会如何回答

a）至少我看起来不像类人猿，而你，简直是一个大猩猩。

b）我相信我们都是从类似类人猿这种生物进化而来的，但是进化需要几百万年的时间。

c）我宁愿和一个类人猿有血缘关系，也不愿和你有牵连——一个用大脑扭曲事实的家伙。

答案

c）。

烦人的历史学家说：

赫胥黎的阐述其实使用了更优美的语言并能使人们抓住总的思想，他的回答在当时造成了轰动。主教最大的失误在于他花费了太多的时间去攻击达尔文，而不是讨论进化论。这给人的印象是主教根本不了解他所要反驳的理论。

但在所有关于进化论的辩论中，好像没有人注意到其中最大的问题。达尔文说小动物从其父母身上继承了它们的特征，但他并没有解释这一切是如何发生的。他之所以不解释是因为他也不知道。没有人能解释，直到一个默默无闻的修道士发现了事情的真相，继续读下去你就会恍然大悟了。

爸爸，我怎么是这个样子？

我也不知道。我们最好接着读下去。

不幸的孟德尔

这是关于孟德尔的故事，他花费了8年的时间种植豌豆。当时所有的人都抹杀了他的功绩。我敢保证，他肯定很气恼，因为他以后再也不接触那些豌豆了。

可怕的科学荣誉殿堂

格雷高里·孟德尔（1822—1884）国籍：奥地利

孟德尔出生于海兹多夫（现位于捷克共和国）。他是一个严肃认真的男孩，在学校认真学习，成绩优秀，然后进入大学。他太努力了，过度的工作把他累垮了——希望你们不要这样！

因此他决定做一名修道士。事实上，他并不是很虔诚，但和平、安静的环境确实是进行科学试验的理想场所。

不幸的是，他作为修道士的第一份工作是拜访病人。多愁善感的

141

孟德尔不忍心看到人们受苦受难，因此要求换一份工作——去做一名教师。

在成为一名自然科学老师之前，他接受了培训，但是他没能通过自然科学考试。几年之后，他又尝试了一次，然而当他坐在考场，看到这些复杂的问题时，上次那种出人意料、骇人的情况又出现了。他知道自己又要失败了。由于恐惧他感到恶心，他的记忆一片空白，他哭了。可怜的孟德尔不得不放弃了他的学业。

不过，他没有放弃他的科学研究。当时，他正在修道院种植豌豆。

你能发现……如何种植物吗

你所需要的：

▶ 一枝花，例如水仙花或郁金香
▶ 一支美术家的画笔

你需要做的：

轻轻地刷粘在花丝上的花粉，这些花丝在花的中央排列成圆形。

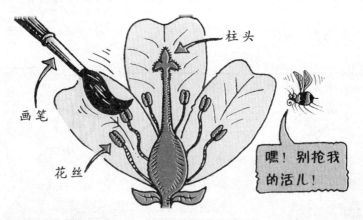

柱头

画笔

花丝

嘿！别抢我的活儿！

你能观察到什么？

a）刷子是潮湿的

b）刷子变绿了

c）刷子上有黄色粉末

答案

c），这些黄色的物质是花粉（这些粉状物质是由花药产生的，就是它们让你打喷嚏的）。为了繁殖植物你可以直接将花粉放在另一株相同品种的植物柱头上，花粉会长出一根管子，进入第二株植物，然后发育成种子。

神秘的信息

孟德尔认识到母代植物是通过花粉中的某种化学物质（现在所谓的基因），将它们自己的特征遗传给下一代的。

艰难的科学档案

名称： 基因

基本事实： 一段基因就是一个化学密码，它会告诉你动植物如何生长、发育。生物从它们的母代获取基因。你的父母将他们的基因传给你，这就是你长得像他们的缘故。注意：是基因让你和父母长得像。

艰难的细节： 现在事情变复杂了。你想，每种生物都有两套基因——分别来自父亲和母亲，例如，孟德尔的豌豆也有两套基因控制它们的生长。一套基因说长矮些，另一套则说长高些，但是只有一套基因起作用，因此这些豌豆非矮即高。通过计算不同类型豌豆的产量，孟德尔发现同时带有矮基因和高基因的豌豆通常会选择长高。

等一小会儿，下页继续讲……我得去方便一下。

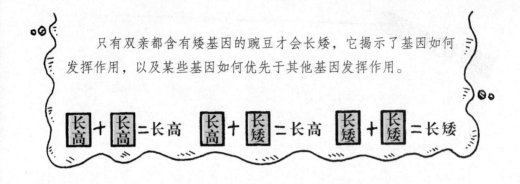

只有双亲都含有矮基因的豌豆才会长矮，它揭示了基因如何发挥作用，以及某些基因如何优先于其他基因发挥作用。

孟德尔共种植了28 000株豌豆，他研究它们的高度、花的颜色以及另外5个特征。他肯定有时感到厌烦、劳累，因为他曾经这样说：

完成这项长期而复杂的工作，真得有点儿勇气呀！

是的，是需要勇气。当然，要是有人能经常给孟德尔捶捶腿就更好了。但孟德尔还是有了重大发现：动植物能将它所拥有的特征传给它们的下一代。生物学的这个分支被叫做遗传学，它完美地解释了进化论。

悲惨的孟德尔

1865年，孟德尔自豪地将他的发现告知诉了当地一个科学社团，他感到无比的兴奋。但是，他发现人们对他的发现十分冷漠。孟德尔感到很失望，因此他又专心做他的修道士。很不幸，1871年有关他未付税的问题使他卷入了一场与政府的辩论，这些激烈而持久的争论让他病倒了。1884年，孟德尔悲惨地死去了。

你肯定不知道!

直到1901年,由于荷兰、德国、奥地利的3个科学家独立得出了相同的结论,孟德尔的工作才引起科学家们的注意。某些人发现了孟德尔过去写的一篇论文,才知道是这个修道士第一个得出这个结论的。因此对有些人来说,自然科学考试的失败或许并不是一件坏事情。

致命的争论

尽管现在科学家基本上都接受了孟德尔的观点,但是在20世纪30年代的苏联,人们坚决拒绝接受它。这给受苦受难的苏联科学家带来了严重的后果。

苏联科学新闻

1927年

英雄瓦维洛夫

植物种植者——尼古拉·瓦维洛夫是我们苏联人民的革命英雄!

他从美国旅行到阿富汗,收集各种植物,然后在苏联种植,养活我们成百万的工人和农民。

他和助手还采集了3000多种植物用于试验。不仅如此,他还运用欧洲科学家的基因学的观点,科学地种植新的植物。苏维埃向瓦维洛夫同志致敬!

苏联科学新闻

1934年

英雄特洛菲姆·李森科！
向李森科同志致敬！

他发现小麦在播种前要冷却，这样能长出强健的小麦。因此，培育新品种小麦是在浪费时间。基因

并不存在！李森科同志（我们光荣的、英雄的领袖约瑟夫·斯大林的好朋友）批评那个可耻的卖国贼瓦维洛夫的外国学说是完全正确的。

苏联科学新闻

1940年

瓦维洛夫被逮捕！

卖国贼尼古拉·瓦维洛夫被逮捕了！我们在《苏联科学新闻》控告瓦维洛夫带来了20世纪30年代的饥荒。是他采用了邪恶的国外种植植物的方法导致了这场饥荒。幸运

的是我们还有斯大林的朋友——英明的爱国者特洛菲姆·李森科，他告诉我们如何得到更多的食物。

最新消息：我们刚刚听说李森科得到了学术界最高的职位。李森科同志，祝贺你！

对瓦维洛夫的审讯总共用了5分钟，这个科学家便被流放到荒芜的西伯利亚，被关在一个用于惩罚犯人的集中营。3年后，这位一生致力于解决苏联人民吃饭问题的科学家饿死了。他的敌人，李森科成了苏联最有权威的科学家。20世纪60年代中期，李森科的同行推翻了他以及他的观点。在苏联，尼古拉·瓦维洛夫重新作为一名伟大的科学家受到人们的敬仰。

1953年，一群年轻的科学家有了一个惊人的发现，也就是这个发现让李森科失去了权威。这个发现是如此巨大、如此惊人，甚至在今天它仍然会带来新的突破。

那么，为什么现在不继续往下读呢？

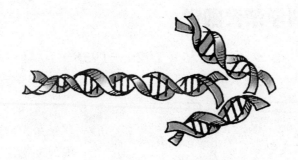

被遗忘的罗莎琳德

这是一个关于4位科学家和一个令人敬畏的发现的故事，这个发现彻底改变了人们看待世界的方法。其中3位科学家都得到了应有的荣誉和财富，但是剩下的一位——罗莎琳德·富兰克林，几乎被人们遗忘了。下面主要讲述有关她的故事。

可怕的科学荣誉殿堂

罗莎琳德·富兰克林（1920—1958）国籍：英国
二战期间，她在从事煤的研究。当然，现在我们也许会说：

罗莎琳德在研究煤的方面做了很多的工作。她指出，煤可以被制成一种叫做碳纤维的新材料。现在，人们利用这种材料加固塑料，使其比钢铁都坚硬。这种材料还被应用在飞机、汽车甚至网球拍上。

但是发现碳纤维并不是罗莎琳德最伟大的贡献……

重要的晶体

她真正的兴趣是用X射线去研究晶体中原子的结构。通过观察X射线反射图谱，可以对原子的排列做出一些判断。她开始在巴黎做这项研究工作，后来进入伦敦的皇家大学继续这项工作。1951年，她开始研究一种化学物质——DNA，也就是从那时起，苦难开始了……

艰难的科学档案

名 称：DNA

如果你想去炫耀的话，你可不能这样叫它，应这样说：

DNA的全称叫做脱氧核糖核酸。

基本事实：这种物质主要存在于活细胞的细胞核中，直到1951年人们才知道它是组成基因的物质。

细胞

在细胞核中包含几段DNA

细胞核

基因被发现在DNA中

你从父亲和母亲那里遗传得到基因

艰难的细节：DNA复杂得难以想象。它包括大约1亿个原子，因此要弄清楚它们是如何组织在一起，只是这项工作中的一小部分。

下面很可能是罗莎琳德的私人日记（也可能不是，但是很像）。

1951年7月

我太悲惨了。我现在皇家大学研究DNA，我应该高兴才对，但是我一点也不高兴。有一个叫摩里斯·威尔金斯的家伙，他在做和我一样的工作。但是我无法和他处好关系，公平地说，是他不能和我好好相处！我们总是在争论，真是让人讨厌。令人欣慰的是，至少我的研究工作正在取得进展。我已经设计了一种新型的X射线照相机，它能拍出更清晰的照片。我猜测DNA看起来像是螺旋状结构，但是目前还很难去证明。

威尔金斯

DNA →

1951年11月

今天，一个年轻的美国人出现在演讲会上，当时我正在做研究报告。他是一个瘦瘦的小伙子，头发有点卷，而且鼻子向上翘。他自报家门——詹姆斯·沃森。好像这个沃森和他的伙伴弗朗西斯·克里克也在做有关DNA的研究工作。他们是讨厌的威尔金斯的朋友。他们还没有取得什么成绩。在我演讲时，沃森只是坐在那儿，砸吧着嘴唇，往里吸着气，甚至懒得做笔记。

沃森

1952年3月

我和威尔金斯去剑桥大学看沃森的DNA模型，在那儿遇到了克里克。他秃顶、人很聪明，讲话很快，但是由于某种原因我并不喜欢他。这个模型，不管怎么说，都是个糟糕的模型。它好像是由3个相互缠绕的螺旋组成。嗯！如果把它们恰当地放在一起的话，倒是很像沃森的脸！

垃圾→

1953年1月

我的工作进展顺利，相信几年后我会取得突破的。可笑的是，我的DNAX射线图谱中最好的一张不见了。我想是不是威尔金斯把它借走了，他不吭一声就拿走是不应该的。

摩里斯·威尔金斯确实拿走了那张图片，并且拿给他的伙伴沃森和克里克看了。

烦人的历史学家说：

这只是一种说法。很多史学家不同意这种说法，人们认为威尔金斯给朋友看的是他自己的图片，而不是罗莎琳德的。

最佳拍档

詹姆斯·沃森和弗朗西斯·克里克是最好的合作伙伴，克里克在后来写道：

我和沃森成功了……因为我们俩天生就带有一种年轻气盛的傲慢……没有耐心，以及考虑问题很草率。

克里克是罗莎琳德的研究领域——X射线晶体研究的专家，沃森研究一类极小的细菌叫做病毒的DNA，他们俩在其他方面也配合得很好。在罗莎琳德自己埋头苦干的时候，沃森和克里克正在休息、闲谈。这是你理想的科学研究工作方式吗？别高兴得太早了，他们也会很辛苦、很投入地工作。

当他们看到关键的X射线图谱时，他们立即得出结论——DNA的形状犹如相互缠绕的梯子，成对的化学物质组成了梯子中间的横档。

成对的化学键形成横档

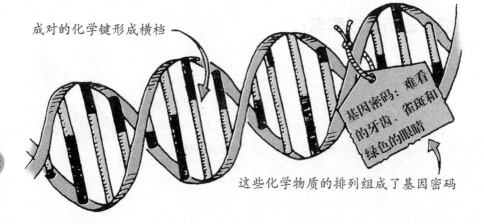

基因密码：难看的牙齿、雀斑和绿色的眼睛

这些化学物质的排列组成了基因密码

沃森开始建立模型，所用的材料是一些旧线、纸板以及有孔的珠子。他们一起揭开了DNA的秘密，这其中或许还有罗莎琳德的帮助。

动态的DNA

DNA结构的发现是一个重要的突破。每个人细胞中的DNA密码都是独特的。因此，现在的科学家利用皮肤中的几段DNA和犯罪现场留下来的痰就能识别罪犯。世界范围内的警界全部装备了罪犯的DNA资料，只要在犯罪现场发现他们的DNA，就能马上进行核对。

1988年科学家开始描绘成人的10万个基因。

直到1997年，他们才发现和450种疾病有关的DNA区域，这些疾病是由于人体细胞中基因的错误复制而造成的，其中就有一种专门攻击人的肺的疾病——胞囊纤维化。

新的生命形式

利用DNA技术,科学家可以打乱DNA中的基因结构,然后再组合成新的生命形式。例如:

▶ 微生物产生一种化学物质——凝乳酶,可用来凝结乳酪。听起来有点令人作呕吧?顺便说一句,这种物质还可以从牛的胃液中提取——呸!

好像有人提到我了?

▶ 新品种植物能抵抗一些植物疾病和除草剂。许多人担心转基因食物的安全问题,担心它们是否会在某种程度上破坏我们的健康,是否会破坏环境。

▶ 微生物能产生一种重要的化学物质——胰岛素。糖尿病人需要注射胰岛素才能维持血液中正常的血糖浓度。每年，都有更多的生命形式在发展。

考一考你的老师

罗莎琳德不知道她的图片对沃森和克里克的突破是否有所帮助，但凭借她的研究工作，她也应该得到某些回报，可实际上她得到了什么呢？

a）分享诺贝尔奖

b）全部诺贝尔奖

c）一分钱都没有

答案

c），罗莎琳德于1958年英年早逝，而诺贝尔奖在1962年才颁发。此奖由沃森、克里克和威尔金斯3人共享。根据规定，诺贝尔奖不能颁发给已经去世的人。我猜想可能对已经去世的人来说，再从人类索取回报也是一件很难的事情。

与此同时，在生物学方面，科学家又有很多的发现。随之而来的是一场大辩论。继续读，希望你不要过于激动……

现代生命科学家

　　尽管孟德尔的研究工作和接下来的基因发现已经对进化论进行了解释，但是科学家们仍旧对一些细节问题争论不休。毕竟，这些问题很难去证明。你可以通过动物试验去观察它们是怎么进化的，但是这至少需要等一百万年才会有结果。

　　通过对化石的研究，我们能很清楚地知道大约每2600万年，地球上的大部分生命就会消失一次。恐龙就是一个很能说明问题的例子。但是不用担心，几百万年之内，这可能不会发生在我们身上。这一切可能是由于彗星撞击地球或巨大的火山爆发，或者是两者共同的作用造成的。总之，无论如何，一些科学家认为大量生物的灭绝给存活下来的生物一个进化的机会，因为它们对食物和空间的竞争减少了。然而，另外一些科学家不同意这种观点，因为通过研究化石，他们发现生物的进化反而更慢了。

　　注意了，彗星没有撞击我们的地球并不意味着动植物不会灭绝。它们会灭绝，责任在谁呢？我们人类。人类正在以惊人的速度破坏雨林、珊瑚礁和动植物资源丰富的地方。实际上，很长时间以来，许多种类的动植物一直在不断灭绝。

你肯定不知道！

对正在发生的这一切提出警告的第一个人是美国科学家雷切尔·卡尔松（1907—1964）。1962年，她在自己的《寂静的春天》一书中阐明了DDT对鸟类的危害，DDT是一种用来杀死昆虫的化学物质。DDT曾经挽救了大约500万人的生命，为此，它的发明者瑞士科学家保罗·穆勒（1899—1965）在1948年赢得了诺贝尔奖。但是现在，由于DDT也破坏其他的物种，所以它已被禁止使用了！

并不是每个人都对转基因的动植物持有乐观的态度。尽管许多人相信这项工艺基本上是安全的，但还是有例外。1999年有报道称，吃过转基因马铃薯的老鼠对疾病的抵抗力下降了。

科学家承认，由于使用老鼠做的动物试验可能存在一些问题，这个实验并不能很好地说明问题（甚至有些科学家认为是错误的）。许多人认为，我们需要更多的试验去证明转基因食品的安全性——这个问题到目前为止仍是一个烫手的山芋。

你将来做什么呢？一个勇敢的生物学家已经发出了警告——世界要警惕动植物灭绝给人类带来的危害。或者你将会成为一个物理学家？要抓住宇宙的本质，根据事实做出决定！

物理学家
的故事

159

物理学的真正发现者

在很久以前的石器时代，乌格斯一家对物理学的兴趣还不如现在学校里一般的孩子。大家别忘了，他们当时最关心的是如何能吃饱肚子。虽然他们当时还不知道物理学这个概念，但实际上他们一直在利用着物理学……

烦人的科学家说：

弓就是一个从人的肌肉运动转换成能量的例子。人通过拉弓射箭，把肌肉运动产生的这个能量先储存在木头里，又传给肠线，然后由箭释放出来。箭设计成流线型，是为了减少空气的阻力。

阻力很大

石头

阻力很小

箭

当然了，当时没有人知道这一点，因为物理学作为一门科学还没被创立。大家还记得亚里士多德曾在物理学上犯了许多错误，但是他的观点却统治了很长时间，一直到伽利略有了更新的观点为止（如果你不记得了，请看第26—78页）。实际上，物理学得到公认的最大推动力，还要归功于一位伟大的科学巨星——一个让人难以置信的人，他难以置信的聪明，难以置信的粗鲁，难以置信的别扭。

你想认识他吗？

线索

难以置信的牛顿

艾萨克·牛顿的一生是如此著名以至于法国贵族马尔基·德·罗毕达怀疑他实际上是不是一个神。

> 我猜他是一个神奇的天才。

大多数现在的科学家一致认为，他是有史以来最著名的科学家。是什么使他如此惊人呢？

可怕的科学荣誉殿堂

艾萨克·牛顿（1642—1727）国籍：英国

牛顿少年时把他做过的所有坏事都列成单子记了下来。那可不是我们大多数人所做过的那些事，简直包罗万象。这里有一些摘录，我们加进了两条牛顿没有坦白的，你能指出是哪两条吗？

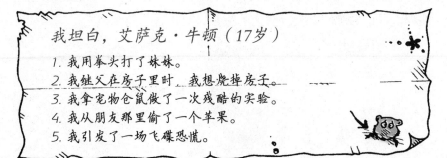

我坦白，艾萨克·牛顿（17岁）

1. 我用拳头打了妹妹。
2. 我继父在房子里时，我想烧掉房子。
3. 我拿宠物仓鼠做了一次残酷的实验。
4. 我从朋友那里偷了一个苹果。
5. 我引发了一场飞碟恐慌。

答案

3和5。牛顿没有养仓鼠，他只是制造了一个风车模型，利用老鼠蹬着轮子跑的力量使风车转动。

对于第5条坦白，这是真的。但是牛顿没有把它列在坦白表中。是的，牛顿是世界上制造飞碟恐慌的第一个人。他喜欢做风筝，并把一个发光的东西系在风筝上。当人们看到奇怪的光从天空突然降落时，在当地引起了普遍的惊慌。

一个早期的学生

牛顿的大多数发现是17世纪60年代在剑桥大学读书时完成的。当时他很穷，不得不像用人一样为他的老师到处跑腿甚至倒便壶。（当时的大学宿舍里没有固定的盥洗室，人们不得不在便壶里方便。你愿意给你的老师倒便壶吗？）

当人们意识到牛顿是如何聪明时，他已经高升为剑桥大学的数学教授了。后来他到皇家造币厂工作，那里是英国制造钱币的地方。1689—1690年，他成为下院议员，不过他只说过一次话，那就是请求某人打开窗户。总之，这位伟人的功绩很快就下降了……

牛顿成名的所有权

1665年：牛顿开始发展现在被称为微积分的数学体系。微积分能使科学家计算不断变化的量，例如在桥上移动的负载。

1664—1666年：牛顿发现日光是由不同颜色的7种光组成的。他是用一块三棱镜将日光分解成七色光的。

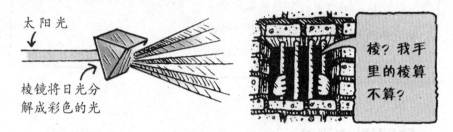

太阳光

棱镜将日光分解成彩色的光

棱？我手里的棱算不算？

1666年：牛顿开始建立万有引力理论。

1687年：牛顿最伟大的成就，是写了一本关于万有引力和物体运动定律的书。这本书叫做《自然哲学的数学原理》，它永远是最著名的科学书籍之一。

牛顿和气球

对于可怕的科学来说，这又是一个第一。艾萨克·牛顿被认为是一个而且是唯一一个使用气球来证明他的运动定律的人。

我的动作是把这个气球吹起来。

定律1是说除非作用在气球上的力有了变化或者有其他外力作用，否则气球将一直保持匀速运动。

定律2是说气球的加速度决定于作用在它上面的力和它的质量*。

★ 质量是形容物体里面包含物质的量的一个词汇。

定律3是说任何作用力都等于它的反作用力。因此当我把气球放开时，气球里面的被吹进的空气被气球的作用力挤出来，它产生的反作用力使气球向相反的方向飞出去。

重力将气球拉向地面。

总之，定律1也可以这样说，现在气球已经停止运动，如果没有外力作用，它将一直待在那里。

对于这3个伟大的定律，牛顿还用数学的方式进行了无可辩驳的证明。牛顿的3个定律非常神奇的地方在于，它不仅仅解释了气球的运动，还解释了世界万物（当然，除了那些讨厌之极的原子）的运动。从水里的乌贼到太空上的火箭，再到你打喷嚏时从鼻孔里喷出的鼻涕，每种物体都按这个科学预言的方式运动。

牛顿的思想到今天还被用在设计新型汽车，或者解释桥为什么会在大风中摇晃。牛顿的理论甚至可以解释火箭和喷气式飞机是如何工作的。

要知道那些吗？

那么，你能理解吗

虽然牛顿的《自然哲学的数学原理》是一本辉煌的科学书籍，但是它包含了如此多复杂的数学问题以至于几乎没有人能看得懂。一位贵族竟然悬赏500英镑想给能够解释这本书的人，但是没有人敢拿。还有一位灰心丧气的读者在街上指着牛顿说：

实际上，这些情况牛顿都知道。但是他说，把那本书写得很难懂，是因为他不想被那些不是科学家的人提出的愚蠢问题所打扰。真聪明！

主要错误

实际上，牛顿并不是在每一件事上都是正确的。下边是一些他犯过的错误：

光在水中传播的速度比在空气中传播得快。

烦人的科学家说：

错误——光在空气中传播速度比在水中快33%。

而且，牛顿花了大量的金钱和时间去研究无用的炼金术。他真的相信可以用别的金属炼成金子。事实上，他非常渴望能实现这个想法，以至于有一次他连续6周睡在实验室里，绝对哪儿也没去——你在学校里这样做过吗？他一醒来就做实验，将各种不同的金属熔化在一起，当然结果一无所获。

不喜欢社交的牛顿

虽然极有天赋，但是牛顿是一个不幸的人，我们只知道在他的一生中他大笑过一次。有一次，他仅有的几个朋友中的一个告诉牛顿，他看不出学习几何学的发明者欧几里德的著作会有什么用处。牛顿突然哈哈大笑起来。

有谁能看出这儿的滑稽之处吗？

自然，像牛顿这样的伟人，你可能会认为他一定是乐于去参加会见，给人签名，并且经常收到崇拜者的信，但是你错了。牛顿对自己别扭的性格和不善交际还很欣赏的。有一次，他给他的一位叫萨缪尔·佩皮斯（1633—1703）的朋友写了一封很短的信。

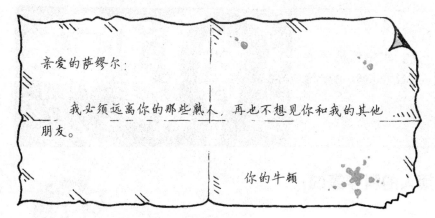

亲爱的萨缪尔：

我必须远离你的那些熟人，再也不想见你和我的其他朋友。

你的牛顿

没有人知道牛顿为什么会写这封信，在这一年里他和外界没有联系。虽然他活了很大年纪，但是他再也没有取得年轻时那样辉煌的科学成就。

只有一个地方让牛顿感到舒适（这太令人惊奇了），那就是参加科学俱乐部的聚会。1702年，牛顿成为皇家协会的主席，皇家协会是英国最老、等级最高的科学协会。

牛顿已经为其他科学家开辟了物理学研究的课题。在关于万有引力的著作中，牛顿已经描述出了一种至关重要、适用于宇宙的力。但是还有另外一种力，这个力就是你每次打开电源开关沿着你插上的插销传出来的力。要想发现更多的能解释这个现象的其他科学家，为什么不翻到下一页？

你会震惊的……

令人震惊的法拉第

还记得泰勒斯摩擦琥珀产生静电吗？还记得范·穆申布洛克的助手被带电的水电击的事吗？是的，在18世纪到19世纪初的这段时间，物理学家正在研究电学。

例如，意大利科学家亚历山德罗·伏打（1745—1827）就已经制造出了一个简单的电池。而恰在那时，英国年轻的科学天才却在忙着给人送报纸，并时时感到饥饿，但是当他长大以后却热衷于科学。他就是……

可怕的科学荣誉殿堂

米切尔·法拉第（1791—1867）国籍：英国

法拉第的爸爸是一个铁匠，他在法拉第童年的大部分时间都卧病在床。他们家很穷，经常没有吃的，不得不向当地的救济所乞讨。法拉第没上过什么学，13岁时就开始给一个书商工作，学习装订书。

有一天，法拉第正在装订由知名科学家琼·玛赛特（1769—1858）写的名为

《有关化学的谈话》的一本书。这本书讲述了两个小女孩艾米丽和卡罗琳，和她们的科学老师罗伯森夫人的故事。艾米丽是一个沉静而端庄的女孩，而卡罗琳却喜欢刺激和冒险。法拉第发现这本书非常迷人，因此他登记加入了当地的一家科学俱乐部。后来，一位非常友好的顾客给了他一张到皇家科学院听演讲的门票。

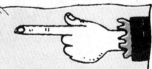

要点提示：

　　当科学变得更复杂时，对于一个不是科学家的人来说，理解一个新发现就变得更难了。一些人像琼·玛赛特那样，为公众写一些科学书籍，就能起至关重要的作用。英国的科学俱乐部和皇家科学院（建于1799年）经常组织科学演讲，向公众介绍最新的科学进展。

　　法拉第完全被皇家科学院迷倒了，就像你见到了所喜爱的足球明星或是流行歌手一样。

　　当他出神地坐在一张舒适的蓝色椅子上听顶尖科学家汉弗莱·戴维（1778—1829）的科学演讲时，法拉第想："要是有一天坐在演讲台上的是我该多好啊！"他是多么渴望能在皇家科学院工作啊。

你能指出这群人里哪一个是法拉第吗？

法拉第为所有听过的演讲都做了详细的笔记，回来之后再用他最好的字抄一遍，然后还为实验图片涂上颜色。他用一个很好的皮革封皮把这些资料装订起来。（你能像他这样做你的家庭作业吗？）法拉第把他的作业寄给了皇家科学院主席约瑟夫·班克斯（1744—1820），并附带了一封很有礼貌的信，请求得到一份工作。

但是约瑟夫先生没有回信。

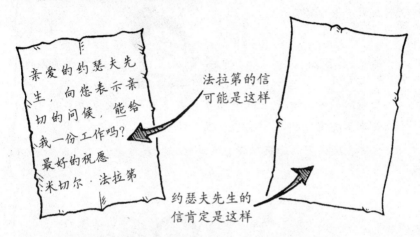

亲爱的约瑟夫先生，向您表示亲切的问候，能给我一份工作吗？
最好的祝愿
米切尔·法拉第

法拉第的信可能是这样

约瑟夫先生的信肯定是这样

要是你该怎么做呢

放声大哭，然后放弃？

法拉第没有那样做。他下决心要得到那份工作。因此，他又像上次那样亲手装订了一本更漂亮的手工绘画的书，改寄给了汉弗莱·戴维爵士。而戴维先生回信告诉他，还是坚持做装订书籍的工作比较好。

然而后来，法拉第的命运改变了。

戴维教授的助手因为打架被解雇了，另外，教授在一次危险的化学实验中把自己的眼睛弄得暂时失明了。因此，戴维教授急需一个助手。年轻的法拉第得到了这份工作。虽然这份工作的报酬还不如做装订工给的多，但是他不在乎，因为他很喜欢这份工作。他乐意洗那些气味难闻的试管，替教授跑腿扫地。后来，他就开始帮助教授做实验。在1814年，戴维带着法拉第在欧洲进行了一次重要的旅行，但这离灾难也就不远了。

这次旅行他们拜访了许多一流的科学家，要不是因为戴维夫人，一切都是那么的美好。法拉第的脾气不好，戴维夫人却由于某些不愉快的事情伤害了他，但是法拉第不得不强忍着愤怒。下面是一封他给朋友的信：

给本杰明·阿伯特
1815年1月25日

戴维夫人

亲爱的本杰明：

　　要是我只和戴维先生一个人旅行或者戴维夫人也像先生那样，我是不会有任何怨言的。可是……戴维夫人太……盛气凌人了，她喜欢在下属面前炫耀自己的地位，显示她的权力。

你的悲惨的
法拉第

下面是戴维夫人的说法：

日内瓦1815年

法拉第

亲爱的戴瑞：

　　我都被气得跳起来了，法拉第这个家伙毁坏了我的旅行。他似乎认为他比用人强。天哪，太厚颜无耻了！我们和德·拉·里夫教授进餐时发现法拉第竟然坐在"我们的"桌子上，而不是和其他用人坐在一起。我不得不装作什么都没发生一样。但是亲爱的，我很担心那些科学家认为我们不懂礼节。戴维教授允许法拉第在一张单独的桌子上进餐，而不是和其他用人在一起。我非常生气，但是，戴维爵士却像没事人一样……

当法拉第成为一个有名气的科学家以后，他被推选到了皇家学会。1825年，他取代了戴维在皇家科学院的工作。他的梦想变成了现实，因为他的演讲，财富和名誉接踵而来，只是一个小小"用人"的日子早就被忘得一干二净了。

法拉第著名的发现

　　1825年，法拉第在观察死鲸身上的有气味的油脂成分后发现了苯（一种十分重要的化工原料），但是今天法拉第最著名的成就却是在电学上……

艰难的科学档案

名称：电学

基本事实：1. 电是由电子的运动产生的。电子带有很小的能量，不停地围绕原子快速运动（见第19页）。

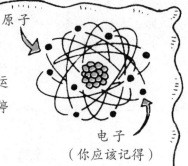

原子

电子

（你应该记得）

运动的电子

2. 电流无论是从电池还是从电源插座得到的，都是电子运动产生的。

3. 如果有机会，电子总是从电子多的地方运动到电子少的地方。

没错，见下一页！

艰难的细节：亨利·卡文迪许曾经用电做过实验。他没有什么惊人的发现，原因是当时没有测量电的仪器。他为了试验电流用自己的身体触电，但是他一点也不觉得这是痛苦的事。当然，那毕竟是开了个好头。

18世纪测量电流的装置，就是众所周知的"亨利·卡文迪许"本人

你能发现（1）……怎样能看到电

你所需要的：

▶ 一只猫（或其他带毛的东西）

▶ 冷而干燥的天气

▶ 一块尼龙布

你所需要做的：

1. 把屋子弄暗或者等到天黑的时候

2. 用尼龙摩擦猫毛

你看到了什么？

a）在黑暗中，猫身上开始发光

b）看到了一些很小的火花

c）能听到一点微弱的咔嗒声

答案

　　b），通过摩擦小猫，你把电子从猫毛表面移动出来。电子总是从电子多的地方移动到电子少的地方，你还记得吗？正像你看到的和听到的那样，几十亿个电子从尼龙布回到小猫的毛上。

你把灯关掉，然后用一块布往我身上摩擦……到底想干什么？

你能发现（2）……电是怎样使物体移动的

你所需要的：

▶ 你自己
▶ 一件羊毛衫
▶ 一个气球
▶ 一根10厘米长的线

你所需要做的：

1. 穿上羊毛衫
2. 把气球吹起来，并把口扎紧
3. 用准备好的细线系在气球的口上
4. 把气球在你的羊毛衫上摩擦几下
5. 拿住线将气球吊起来，使气球距离你身体几厘米

你看到了什么？

a）气球向你移动
b）气球看上去摇摇摆摆离开你
c）气球产生火花并且伴有咔嗒声

答案

　　a），气球从羊毛衫上得到电子，电子又将气球拉回羊毛衫，因为现在这里的电子比较少。

电学上的发现

　　1832年，法拉第发现电流能分解溶液中的化学成分，这个过程就是众所周知的电解。这对给刀剑表面镀上一层薄薄的银是非常有用

的，但是他最伟大的发现还比这早一年。

1831年，法拉第造出了世界上第一台发电机用来发电。在1821年，法拉第就发现移动的磁铁可以使通过它的导线产生电流。磁铁里旋转的电子产生磁力，这个磁力又会影响导线里的电子，使它们开始运动（实际上科学家认为，电力和磁力是同一种力，因为电可以产生磁，磁也可以产生电，这就叫做电磁力）。

10年以后，法拉第又转回这个工作并发现：保持磁铁在一个地方不动，同时使金属线运动同样可以产生电流。下面，是法拉第在骄傲地演示他的新发明……

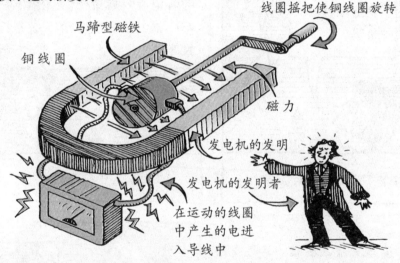

一个伟大的发现

这个发现如此之伟大，以至于它给人类生活带来的影响可以写成一本书。可以说如果没有电，任何需要用电作动力的机器都不会存在。你有过被大规模停电困住的经历吗？

回到黑暗的年代

注解：黑暗是因为电灯需要电。

注解：计算机需要电才能工作。

注解：这些都需要电。

注解：那是因为，没有电，中央供暖系统也不工作。

注解：电炒锅需要……你应该能猜到的。

注解：冰箱没有电不能制冷。

不，开这些玩笑不是我的主意（至少你在看这本书时会感到高兴），但是这足以证明法拉第的发明真的是人类不可缺少的。

重点提示：

在大西洋彼岸，美国科学家约瑟夫·亨利（1797—1878）也有了同样的发现。实际上，亨利在1830年就有了这个发现。但是，英国的那位科学家却获得了这个荣誉，因为他第一个发表了他的结果。这是一个很好的例子，说明许多科学家经常在同时有了相同的发现。

我已经做出来了！　　干得好！终于成功了！

你肯定不知道！

在一次生动的演示中，法拉第建了一个3.66平方米的木栅栏，上面覆盖一层金属箔，通上导线。这位科学家站在木屋里，让他的助手通上100 000伏的电压通过栅栏，电火花立刻从栅栏里飞出，如果法拉第碰到栅栏肯定立刻就死了。有人敢自告奋勇来做一下这个实验吗？

一流的课

你的老师在传授那些很有趣的课程时，是不是能充满激情地讲好它呢？好的，这儿有一个机会让你看看他们究竟是最好的还是最差的科学老师，因为你已经知道米切尔·法拉第是最伟大的科学老师之一。他甚至雇了一位演讲教师参加他的讲座，当他讲得太快或者太慢时，这个老师就举起牌子告诉他。你有足够的勇气对你的科学老师这么做吗？

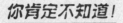

你肯定不知道！

　　另外一位伟大的科学导师是美国的物理学家理查德·费曼（1918—1988）。费曼喜欢出难题和恶作剧，虽然他的专业领域（有关原子的光效应）听起来很枯燥，但是他总是一边用一种聊天式的谈话，一边敲着羊皮鼓来活跃课堂气氛。你敢把这种做法建议给你的科学老师吗？

教学的灾难

　　1827年的一天晚上，英国科学家查尔斯·惠斯通（1802—1875）正在皇家科学院演讲。这位年轻的科学家闭紧嘴唇，不停地来回踱步，越来越紧张。就在惠斯通演讲之前的一个演讲中，演讲者在讲台上活生生地宰了一只猫。好家伙，台下的科学家全被吓得夺门而逃。从那以后，所有的皇家科学院的演讲都要反锁着门进行了。

　　下面的内容也是关于一位可怕的教师的故事。这位著名的物理学家总是胡乱地咕哝一些怪僻的话，几乎没有人能听懂。但是如果他是一个没用的教师，他怎么又会是一位惊人的科学家？他的名字是……
好的，翻到下一页，一切就都明白了。

不可思议的麦克斯韦

苏格兰科学家詹姆斯·克拉克·麦克斯韦无疑是一位天才，甚至在学校时就有不同寻常的表现。

可怕的科学荣誉殿堂

詹姆斯·克拉克·麦克斯韦（1831—1879）国籍：苏格兰

麦克斯韦很小的时候就对科学感兴趣。两岁时，他就问小溪的源头在哪里，锁是怎样工作的等一些连他妈妈都不好回答的问题。或许，麦克斯韦的好奇心是从他发明家的父亲那里得来的。麦克斯韦的父亲喜欢设计服装，这也提出了一个问题，你愿意像这样出现在学校里吗？

麦克斯韦在校的第一天

偶就是麦克斯韦……

说话带着满口的乡村口音，让其他孩子听起来很怪

科学实验的废料

装死虫子的盒子

他爸爸做的方头皮鞋

他婶婶制作的令人难堪的褶边衬衫

他爸爸设计的看着令人发痒的毛麻夹克

怪不得其他小孩都叫他"蠢蛋"。其实，他并不蠢，而且一点都不蠢。他14岁时就写出了他的第一篇科学论文，并且他的一生中大部分时间都在苏格兰和剑桥当大学教授。

更多的学校问题

麦克斯韦不是唯一在学校遇到问题的科学家，现在看看这些：

▶ 卡尔·林奈（1707—1778），瑞典生物学家，在校时他建立了现在使用的辨别植物和动物的拉丁语命名系统，不过他在学校时还是憎恨拉丁语的。他的老师告诉他父亲：

大概，老师认为修鞋的人不需要用脑子。

▶ 威廉·贝特森（1861—1926）是一位杰出的英国遗传学家。但当他在学校时，他的老师是这样描述他的：

然而，这些都没能阻止贝特森成为一名一流的科学家。

▶ 超天才的阿尔伯特·爱因斯坦讨厌学校教授的内容，包括许多考试和背诵烦人的事实，还有纪律的约束。爱因斯坦后来讲：

> 如果现代的教育方式不扼杀神圣的好奇心，那简直是奇迹。

把这个对你的科学老师讲讲，如果你敢的话。

你肯定不知道！

科学家们在学校时也忍受着许多孩子忍受的残忍的条件。例如，1943年用于炸毁德国水坝的导弹的发明者耐维尔·巴恩斯（1887—1979）上学时就只能睡在一张光光的木板床上，也只能在一个混凝土的场地上打橄榄球。我敢说，当他在场上摔倒时，肯定没有弹跳起来。现在，回到麦克斯韦。

快速抢答

麦克斯韦做学生时，有一些奇怪的习惯，你能从下面的选项中找出他喜欢的两个娱乐项目吗？

a）在墙上喷涂科学的计算结果。

b）凌晨两点绕着房子跑，把别人吵醒。

c）把嚼过的口香糖射到老师的脑后，还说是别人干的。

d）从卧室的窗户向外扔猫。

e）让一条蛇逃到洗手间，然后到下水道里去找。

答案

b），据一个同学讲，他凌晨两点在他们门前跑过，结果惹恼了每一个人。

……后来，在他经过时，沿路宿舍的人都朝他扔鞋子、梳子……

d），麦克斯韦认为用这种方式把猫扔出去，它就不能脚先着地。显然，他成功了，但是后来他否认自己曾经这么做过。

有多少著名的科学家能够允许对无辜的小波斯猫如此残酷？

可怕的健康警告！

我们也有感觉，你一定不能学麦克斯韦。如果你那样做了，你就必须吃光猫食罐中的剩渣子……那是对你的惩罚。

麦克斯韦戏剧性的发现

麦克斯韦的一生有很多发现。例如，1860年，他用数学方法证明了热实际上是分子的运动。他最伟大的成就是在1864年，他只用一个笔记本、一支铅笔和他那聪明的脑子，就推导出了一系列控制电行为的数学规则（方程式）。

这些方程式摆在一起比一头大象还高半头。麦克斯韦意识到这些等式意味着：

电的速度=光的速度

光=电中相同力的能量（电—磁）

麦克斯韦猜想，其他射线与光的产生相似，虽然这些射线可能是我们不能看到的。

烦人的科学家说：

麦克斯韦是对的，对的，就是对的！

波的顶峰

1888年，德国人海恩里希·赫兹（1857—1894）发现了无线电波——麦克斯韦预言的第一个看不见的射线。试想一下，幸亏有了麦克斯韦的工作，科学家们才能发明广播和电视。毕竟，广播使用无线电波，电视讯号也是无线电波。

1895年，一个德国科学家伦琴（1845—1923）发现了一种新的射线——X射线。它像无线电波一样也无法用肉眼看见，但它具有更大的能量。X射线可以通过肌肤，而不能通过比较密实的物体，例如骨头，所以人可以用X射线来看自己的骨头。X射线还被用在机场上来检查行李中是否藏有炸弹和武器。

麦克斯韦方程式改变了世界，而也不就是有些人所讲的"蠢蛋"吗？只用一个笔记本和一支铅笔，就改变了世界。感谢上帝，麦克斯韦也不总是对的。他深信有一种叫做"以太"的看不见的物质，充满了整个空间，但实际上"以太"并不存在。

遗憾的是，麦克斯韦英年早逝。要是他活得时间再长一点的话，他就可以看见他的方程是正确的，能活着看见他预言的新的波。但是在他死的时候，许多科学家却没意识到那些预言的重要性。

其间，科学家们继续寻找射线。1896年，法国科学家安托尼·亨利·贝克勒尔（1852—1908）发现，从含铀的化合物中能放出奇怪的射线。又一个看不见的射线，但它可使藏在黑暗处的照相底片感光。这些射线破坏了贝克勒尔的度假的劲头。无论如何，尽管当时贝克勒尔并不知道这种射线，但他已开拓了一个巨大的新的科学领域：放射性。不久，一个很有才气的女性科学家很快就探明了它的奥秘，你可以在下面读到她的苦难的故事。

勇敢的玛丽·居里

玛丽·居里为了获得科学的教育，不得不背井离乡到国外，同时要学习新的语言并忍受着饥饿，但那还只是玛丽遇到困难的一小部分。

可怕的科学荣誉殿堂

玛丽·居里（1867—1934）国籍：波兰/法国

很显然，当年轻的玛丽·斯可罗多夫斯卡（她结婚前的称呼）长大时，将成为一名科学家。她的父母都是老师。年轻的玛丽是一个喜爱读科学书籍的聪明的姑娘，但有一个困难……玛丽是个女孩。当时，在波兰的大学里没有女孩的位置。

不招女生！

啊？

所以，玛丽和她的姐姐——布洛尼娅制定了一个非同寻常的计划。

这样，布洛尼娅，我得到一份工作去当家庭老师，你去巴黎学医药，我寄钱给你。

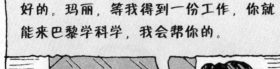

这就是她们姐妹所说的。

玛丽非常顽强和勇敢。在她去巴黎上大学之前，她辛苦地工作了7年，并存下了她那少得可怜的薪水。但当她到了法国，她却听不懂法语。即使有布洛尼娅的帮助，她还是穷得可怜，经常被迫在买食物还是买燃料取暖之间做选择。

大多数的日子里，她没有面包、奶油和茶。然而尽管有如此多的困难，她还是努力学习以提高法语水平，并出色地通过了考试。等一下，她为什么要这么奋斗？

做女人为什么这么难

如果你是从头一直读到这里，那你也一定已经注意到历史上似乎很少有女性科学家。问题是许多人（大多是男性）认为女孩子不适合学科学。事实上，这些人（大多是男性）认为，雌性是笨的。是的，我是可怜的女孩，他们真的认为是这样。1879年法国大脑专家古斯塔夫斯·拉邦说：

有很多的妇女，她们的大脑与大猩猩的大脑在尺寸上很接近。

他接着说：聪明的妇女与有两个头的大猩猩一样不寻常。

烦人的科学家说：

现在的科学家知道：一个人大脑的尺寸与他们有多聪明没有关系。

但是，你可以看到为什么女孩子经常没有机会去学科学。妇女被排斥在许多生活方式之外。例如，19世纪70年代以前在美国和80年代以前在英国，妇女不允许当医生。这里恰巧有一个故事，展示了对于极少的女性科学家不公平的事情是多么的可怕。

费尔法克斯家庭

先认识一下费尔法克斯一家：

年轻的玛利是一个聪明的女孩，她想学科学，但她妈妈和爸爸认为女孩子学数学和科学会被逼疯（对，他们从心里相信这一点，但是实际上不是这样，因此，不要尝试去辩解，姑娘们）。相反，玛利被送到寄宿学校，在那里有一门课教她们如何站直。女孩子们要穿上带铁箍的衣服，以保持背部优美挺拔。

回到家里，玛利在她父母入睡之后，自学数学。后来被她父母发现了，还拿走了她的蜡烛。但玛利仍没有放弃，她睁着眼躺在黑暗中，在大脑中进行数学运算。

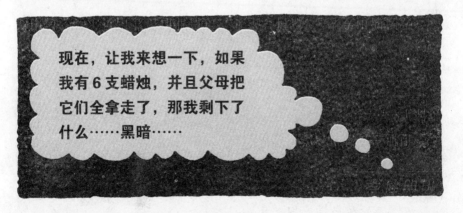

直到她的第二任丈夫给了她所需要的书和勇气，玛利才有机会去写科学方面的著作（她的第一任丈夫也认为所有的女人都是蠢的）。

之后，玛利·萨默维尔（1780—1872）成为了一名著名的物理学、天文学、生物学方面的畅销书作家。就像你所见到的，大多数妇女要得到科学的教育必须斗争，要获得科学工作也必须斗争。

那么，玛丽·居里如何呢

玛丽是幸运的——她得到了一份地位低下的实验室助理的工作。1895年，玛丽嫁给了她就职的实验室的主任——皮埃尔·居里（1859—1906）。居里夫妇在放射性领域一起工作，并获得了伟大的发现。

如果你不知道放射性是什么，请读下面……

艰难的科学档案

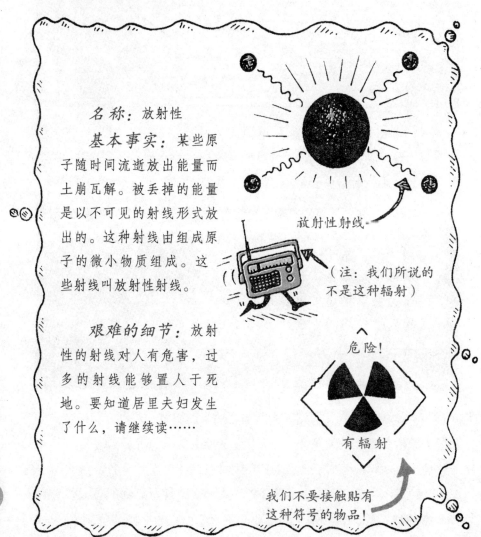

名称：放射性

基本事实：某些原子随时间流逝放出能量而土崩瓦解。被丢掉的能量是以不可见的射线形式放出的。这种射线由组成原子的微小物质组成。这些射线叫放射性射线。

放射性射线·

（注：我们所说的不是这种辐射）

艰难的细节：放射性的射线对人有危害，过多的射线能够置人于死地。要知道居里夫妇发生了什么，请继续读……

危险！

有辐射

我们不要接触贴有这种符号的物品！

居里夫妇是从研究铀中的放射性开始的，并且他们发现另一种元素钍也具有同样奇怪的特性。接下来，他们把注意力转移到了一个古怪的神秘的事物上……

居里夫妇的个案记录簿

这看起来像是玛丽所记的。嗯，可能是。这些笔记被放射性化学品玷污，因而已被锁在一个安全的地方很多年了……

1896年——我得到了一种神秘的东西。这种化学物质是我们正在研究的沥青铀矿，这种沥青铀矿比我们认为它会有的已知成分铀的放射性要强。我认为有一种更强的放射性物质隐含在沥青铀矿中，这种物质叫镭。

怎样获得镭

1. 获得大量的沥青铀矿。我们没有足够的钱来买，我们就和矿主商量，结果他们送给我们一整车皮的废沥青铀矿，就是铀提取后留下的废物，有一吨重（可能有几克镭藏在里边）。

2. 把一吨废的沥青铀矿从车站运到实验室。

3. 手工筛取沥青铀矿，除掉废物。

4.用手将它研磨成粉末（这可是非常艰苦的工作，我的手腕简直疼死了）。

5.将这些粉末和苏打一起煮沸（尽量不要去吸这些恶心的烟雾）。

6.现在，艰苦的工作真正开始了！利用一整套的技术诸如溶解、加热、过滤、蒸馏等尽力分出神秘的镭。真不容易！

特别要指出的是，他们的实验室是一间很难看的工棚（如果你不相信，请翻回到第42页），提醒你，至少居里夫妇是高兴的。玛丽·居里说：

就是在这个痛苦的寒冷的棚子里，我们度过了最好最高兴的日子。

她接着说，直到结束那天她才告别了苦役。

自豪之光

1898年的一个冬天的晚上，皮埃尔和玛丽来到他们的工棚，看见一种奇怪的蓝光。它是由那个化学物质镭——一种完全未知的原子物——发射出来的。这个发现让居里夫妇很快成了名人，到20世纪20年代时，一些公司很快使这种奇特的新化学品产生效益。下面这些广告哪一个看起来太离奇而不是真的？

镭的新闻
最新发明的镭产品！

1. 镭的扑粉和面霜
搽上它，马上就可以"光彩照人"。

2. 镭表盘
黑暗中发光
甚至在晚上也可以看时间。

3. 黑暗中发光的假牙！
现在，你的朋友们能欣赏你那可爱的微笑，即使在天黑之后。

4. 镭汽水泡
让你的药水在夜里发光！

答案

2. 所有其他的产品都曾是真的，但那是灾难，因为镭的放射性真的有害。表盘工人在舔了涂有镭的画笔之后生病了。

你肯定不知道！

镭可以用来杀死存活在癌症病人体内的患病细胞。癌症是一系列的疾病，它会导致体细胞倍增并形成肿块，这是皮埃尔·居里在两名博士的帮助下发现的。

两个可怕的悲剧

居里夫妇从来不畏惧放射性的危险。皮埃尔把装有放射性物质的试管放在口袋中，射线把他的裤子烧了个洞并使他的腿很痛。皮埃尔死于1906年，然而不是死于镭而是死于交通事故。一辆载重马车从他身上碾过，他的头都被压扁了。而玛丽因患白血病死于1934年，这种疾病可能与她接触放射性物质时间太长有关。

你肯定不知道！

玛丽·居里获得了两次诺贝尔奖。她和皮埃尔因证明放射性来自于原子，而不是来自于一些科学家认为的化学反应，从而获1903年的诺贝尔奖。1911年，玛丽因发现镭和钋（这是在沥青铀矿中发现的第二种放射性原子）而再次获得诺贝尔奖。

无疑，玛丽·居里是20世纪数第二的科学家。为什么仅仅是最伟大科学家中的第二呢？哦，下面有一个更著名的科学家。他是那样难以置信地出名……

你即便是爱因斯坦也猜不出他是……

令人难以置信的爱因斯坦

在竞争有史以来最伟大科学家头衔的候选人当中，阿尔伯特·爱因斯坦和牛顿排在最前面。但是什么使他如此有名呢？嗯，别问，继续读，你将发现……

可怕的科学荣誉殿堂

阿尔伯特·爱因斯坦（1879—1955）国籍：德国/瑞士/美国

12岁时，爱因斯坦就声称：

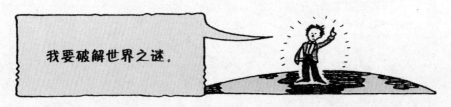

我要破解世界之谜。

他已决定成为一位科学家，但是，在中学和大学，爱因斯坦做得不是很好。记得吗？1902年，他还只是瑞士伯尔尼的一名普通专利员（检查发明，看它们是否有效）。

显然，我不适合这份工作。

197

但他一直梦见科学中的问题。1905年，他的一系列发现使科学界震惊了……

爱因斯坦辉煌的突破

爱因斯坦发表了3篇科学论文，每篇都值得获诺贝尔奖。运用复杂的数学计算，爱因斯坦证明……

文章1

如果放一粒花粉在水中，你就会看到花粉似乎在跳舞。水是由氢和氧组合而形成分子。水分子碰撞使花粉运动。

烦人的历史学家说：

还记得一点有关水的知识吗？（若不记得，查看第101页）嗯，虽然科学家认为有分子，但是不能证明其存在！爱因斯坦的文章为此提供了证据。

文章2

光是由细小的能量点（光子）组成，通过光电效应的研究可以证明这一点。

烦人的历史学家说：

爱因斯坦又对了！在这篇文章之前，科学家说光是由波组成的，正如麦克斯韦说的。爱因斯坦证明光具有波的性质，但它确实是由那些细小的能量点组成的。

文章3

　　若你乘坐高速运动的宇宙飞船飞向一个星球，你也许认为，星球上的光到达你的速度比你在太空静止不动的速度要快。但是你错了，无论你做什么，光都是以完全相同的速度运动。我叫它**狭义相对论**。

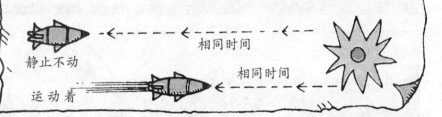

静止不动 —— 相同时间 ——

运动着 —— 相同时间 ——

　　这听起来非常奇怪。爱因斯坦指的是没有别的东西比光快，无论你去哪个方向，也无论你有多快，光总是以相同的速度到达你那里。但是在他的理论中有一些更神奇的结果。这些结果对地球没有太多影响，但假如回到太空的话……

快速抢答

　　爱因斯坦的理论预言：当接近光速时，会发生一些奇怪的事。这儿就有一些，为了使它更有趣，我们加入了一个不会发生的，你能猜出是哪一个吗？

太空中的科学家

科学官员 斯太勒　　　指令长 科斯莫斯　　　船上的猫 奥比特

继续……

效应1——你的飞船飞得越快，你就感觉越沉。

我觉得自己更沉了！

效应2——你的飞船飞得越快，飞船看起来越短。

我们用全速前进！

效应3——你的飞船飞得越快，光的颜色变化越多，如颜色由红色变为监色。

你看起来有点变色啦，奥比特！

效应4——你的飞船飞得越快，时间过得越慢。

飞船上的钟比地球上的钟慢。

真让人讨厌！

答案

效应1——正确。爱因斯坦指出，运动物体的能量越大它就越重。很明显，快速星际飞船和员工有许多能量，因此他们的质量就会增大。在其速度为光速一半的时候，75千克重的科学家将增加12千克，这对于那些正在减肥的人可是个坏消息。

效应2——正确。当速度达到光速的一半时，飞船看起来会短13%。

效应3——错误。

效应4——正确。与停在太空的宇宙飞船相比，你的速度越快，时间过得越慢。你在宇宙飞船上进行快速旅行，当你回到地球上时已经过了很长时间。因此，回到陆地，你发现已经进入了未来世界。

证明

运用爱因斯坦的理论可以推算出这些结果（不要问我怎么算——那是极为复杂的）。此刻，你也许认为应该进行不可想象的高速飞行，以证明爱因斯坦是否正确。但事实上，科学家已经有了时间旅行效应的证据。不，别兴奋。科学家已发现，围绕地球转的宇宙飞船上的时钟仅比地球上的慢一点点，时差仅是一秒的若干分之一，但那已足够证明爱因斯坦是对的！

1916年，在这篇论文之后，爱因斯坦又发表了他的广义相对论。

喝茶时给老师捣乱

这种对教师的恶作剧确实应该禁止，因为那对老师很残忍。但如果你想做，那么在刚开始喝茶时做比较合适，因为你这个坏主意用的时间比较长。

轻敲教研室的门。门开时，甜甜地一笑并问……

答案

嗯，难题。老师尽力解释，但不能深入，啰唆了半天才结束。如果你的自我感觉因此变得越来越好，那么20分钟后，你可以帮助他解决问题，但为了能那样做，你必须继续读下文……

艰难的科学档案

名　称：广义相对论

基本事实：爱因斯坦研究万有引力，并认为万有引力在这样起作用——像行星、恒星这样巨大物体能扭曲它周围的空间。如果你要想象这种情况，那么你考虑一下，掉下一颗炮弹在床上会发生什么。立刻留意猫！

炮弹使床陷下去了。

艰难的细节：爱因斯坦理论的一个结论是——有巨大万有引力的巨大物体能阻止光逃出。这些物体是黑洞，并且确实存在（如果不信，可见第87页）。

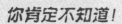

你肯定不知道！

　　爱因斯坦是个相当聪明的人，但在个人生活方面有时却显得很低能，比如他不穿袜子，总是光着脚绕着房子散步。这位科学家说穿不穿袜子没有什么关系，因为它们迟早会有洞。一些历史学家已指出，有洞是因为爱因斯坦总忘记剪脚指甲。

居然比我的还长！

你是一位古怪的心不在焉的科学家吗

　　若想成为一名科学家，你心不在焉的程度怎样呢？用简单的是或否回答下面问题。

　　你曾经……

　　1. 因为你正在思考科学问题，没有注意你走的路而掉进沟里？

　　注：据说我们的老朋友泰勒斯出过这样的事，因为忙于思考天文问题而掉进沟里。嗯，真想不到！幸好，唯一受到伤害的是他的尊严。

　　2. 你因忙于做自然科学的家庭作业而忘记吃早餐？

　　注：许多科学家如牛顿和阿基米德（古希腊科学家，记得吗？）都出过这样的事。

　　3. 很长时间忘记洗澡？

　　阿基米德也这样。

4. 当父亲强迫你洗澡时，你在浴室里待很长时间，因为你用肥皂和橡皮鸭做科学实验？

注：当阿基米德身上真有臭味的时候，他被带到浴室，由他的奴隶给他搓澡。他一直在用沐浴液画着科学的图表。

5. 你继续做你的自然科学家庭作业，让你的朋友久等？

注：在大学时，牛顿这样干过，他完全忘记他朋友在隔壁等他。一段时间后，他什么朋友都没有了。

6. 用祖母给的生日礼物支票作为书签，并忘了去银行兑换？

注：20世纪20年代的一天，爱因斯坦这样干过，并且是一张大面值的支票。当然，那本书很快被人偷走了。

7. 在半途中你从自行车上下来，但却忘了再骑上它。由于想科学问题，你步行走完余下的路程？

注：当年轻的牛顿去市场时，做了这样的事。所不同的是，他当时骑的是一匹马而不是自行车。

8. 忘记了你的住处在哪儿？

注：20世纪30年代，爱因斯坦移居美国时，发生过这样的事，他不得不给他所工作的大学的秘书打电话以请求帮助。

分值的意义：

0～3分：相当正常。

4～6分：有点心不在焉，但不必担心。

6～9分：确实是一位心不在焉的科学家。嗯，别改变——说不定某一天，你也能获得诺贝尔奖。

爱因斯坦的错误

爱因斯坦如此聪明，以至于一些人认为他从来不会犯错误。嗯，对于我们这些普通百姓，我们将以宽松的心情得知，惊人的爱因斯坦也曾犯过巨大错误。例如，他承认，他的最大错误是没有意识到宇宙正在膨胀。

烦人的科学家说：

还记得哈勃以及他的发现——作为大爆炸的结果，太空正在膨胀。爱因斯坦广义相对论计算证明了这一结果，但是他不相信。在1930年会见哈勃之后，他承认自己是错的。但是，爱因斯坦犯了一个更糟的错误。

爱因斯坦的结局

宇宙中有4种力：万有引力、电磁力和原子内部运行的两种力。爱因斯坦估计，他能想出一种的简单理论来同时解释万有引力和电磁力。

他失败了。

在研究复杂又无结果的计算方面，花费了他最后30年的光阴，这有点像你在没有头的数学课上，奋力解决不可能的问题。当他死时，床边还有一系列未完成的计算。

你肯定不知道！

1933年在德国，一个新的政党执政，称为纳粹党。纳粹党憎恨犹太人，碰巧爱因斯坦家族也是犹太人。爱因斯坦像许多其他犹太人一样被迫逃到美国。在20世纪30年代，有大量德国科学家逃离纳粹德国，其中许多人来自犹太家庭。然后，事情变得更糟，继续读吧……

辉煌的玻尔

在1940年和1941年，德国人征服了几乎整个欧洲，许多科学家发现他们自己身处危险之中，其中包括一名伟大的丹麦物理学家——尼尔斯·玻尔。

可怕的科学荣誉殿堂

尼尔斯·玻尔（1885—1962）国籍：丹麦

年轻的玻尔是一个身体强壮，块头很大，说话慢吞吞的少年。和他同在一个学校的孩子们都认为他很粗鲁，特别是因为他总是参与打架（那并不是一件非常光彩的事情）。但是玻尔很聪明，尤其是在自然科学方面。这个块头肥大而显得笨拙的年轻人总是在实验室打碎试管，使化学药品发生爆炸，这是件令人遗憾的事情。下面是他的老师说的：

哦！那一定又是玻尔！

玻尔到大学后学习物理，他很快就因他的出色表现而闻名全校。他是如此的聪明——甚至纠正了课本上的错误。他是如此的专注于科学——当他当足球守门员时，他把科学计算写到门柱上，并且不影响在关键时刻做出勇敢的扑球动作。

对于一位如此有思想的科学家来说，玻尔对20世纪前期的最大发现——量子力学——感兴趣是不足为奇的。

艰难的科学档案

玻尔的突破

1913年，玻尔在英格兰和卢瑟福一起工作，卢瑟福是新西兰籍英国科学家，他通过实验建立了原子有一个密实的核心并被电子包围的学说。后来，玻尔算出了电子是如何被安排在原子中和如何具有特定能量的。

　　玻尔利用工作之余发展他的量子力学理论。他在哥本哈根建立了一个研究所并组织会议，全欧洲的科学家在会上共同研究原子的组成。与会的科学家们争论得异常激烈，曾经将德国科学家维尔纳·海森堡气得眼泪直流。而且玻尔经常发脾气，为了控制情绪他冲出屋子，在花园里除草以使自己消消火。

投下炸弹

　　在20世纪30年代后期，玻尔用数学方法演示说，如果将原子一分为二，就会以放射能的方式放出能量。1939年，已有传言说德国科学家奥托·哈恩（1879—1968）实际上已成功将铀原子分开。玻尔知道在瞬间通过分开数十亿个原子的方式可以释放大量的能量，这可以制造出一种令人恐怖的炸弹，它的威力可将城市夷为平地，这样一种武器将会使纳粹征服整个世界。

　　在去美国的一次旅行中，玻尔警告了爱因斯坦正在发生的事情，爱因斯坦警告了美国总统，美国总统罗斯福决定美国应该制造他们自己的原子弹。后来玻尔回到了丹麦，这是他犯的一个导致他身处极大危险中的错误，因为几个月后，丹麦就被德国人占领了。

逃命

如果玻尔在那些黑暗的日子里，能给他的朋友爱因斯坦写信的话，他的信看起来可能是这样……

哥本哈根，1943年9月

亲爱的爱因斯坦：

　　我身处危险之中，我想返回丹麦是个错误。我无法忍受那些纳粹，他们侵占了我的祖国，还强迫我的许多科学家朋友逃离德国，所以我拒绝帮助他们。但实际上，你别告诉任何人，我已送密信给英国的科学家们，将我所知道的一点点有关德国的原子弹计划告诉了他们（写在卡片上，但那已是几年前的东西了）。如果德国人发现了，我就会被作为间谍而枪毙。

　　　　　　　　　　　　　　　你的玻尔

一栋安全的房子里，
丹麦的某个地方，
1943年，9月

藏在这儿

亲爱的爱因斯坦：
　　我的一个在丹麦抵抗组织里的朋友给了我暗示，他们说德国人要在明天逮捕我，我不得不藏起来，我是真的很害怕，巡逻队挨家挨户地敲门，我的抵抗组织里的朋友有一个将我送到国外去的计划。我今晚走，要么现在，要么永远别想走。这是永别吗？
　　　　　　　　　　　　　　　玻尔

一艘渔船上，
丹麦和瑞典之间
的某地，
1943年9月

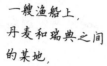

亲爱的爱因斯坦：

今晚在我们开车去海边的路上，我藏在车的后面。然后我用手和膝盖爬着穿过一片泥地向海边前进，我边爬边担心探照灯会照在我的身上。一声射击警告，枪开火的声音。幸好，什么都没发生！接着我不

得不在冰冷的海浪中涉水到达那艘渔船。现在我在海上又累、又冷、又湿，无时无刻不在担心会看到一艘德国巡逻船在黑暗中时隐时现。我知道，他们正在寻找我，很庆幸你没在这儿。

玻尔

瑞典一栋安全的房子里
1943年，9月

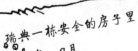

亲爱的爱因斯坦：

我依然身处危险之中，德国间谍知道我在这个国家。我这儿的英国朋友说德国人已下命令，一看到我就要打死我。我听说英国政府已派飞机来接我去英国，但是，那可能太晚了。我还会尽快给你写信……如果我还活着。

玻尔

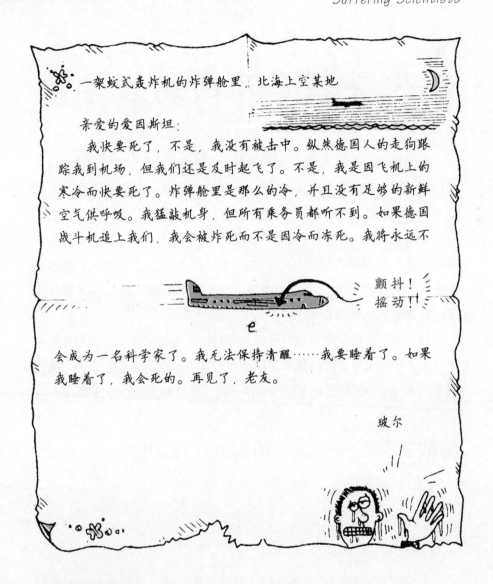

一架蚊式轰炸机的炸弹舱里，北海上空某地

亲爱的爱因斯坦：

我快要死了，不是，我没有被击中。纵然德国人的走狗跟踪我到机场，但我们还是及时起飞了。不是，我是因飞机上的寒冷而快要死了。炸弹舱里是那么的冷，并且没有足够的新鲜空气供呼吸。我猛敲机身，但所有乘务员都听不到。如果德国战斗机追上我们，我会被炸死而不是因冷而冻死。我将永远不

颤抖！
摇动！

会成为一名科学家了。我无法保持清醒……我要睡着了。如果我睡着了，我会死的。再见了，老友。

玻尔

愉快的结局

玻尔在这次飞行中逃生了——就在飞机在英格兰着陆时，他因寒冷和缺氧而失去了知觉。从英国，玻尔到了美国。在那儿，他发现了有关美国人要造原子弹的计划。玻尔被这个计划震住了。当1945年8月两颗原子弹被投到日本以结束战争时，他更被惊呆了。他用余生为原子能的和平利用和科学信息的共享而奔走。

213

现代异想天开的物理学家

如果你喜欢思考相当深奥的问题，那么长大后，你肯定想成为一名物理学家。自爱因斯坦和玻尔时代以来，物理学家已经发现了大量令人难以置信的有关原子和宇宙的信息。

从20世纪40年代起，英国和美国的科学家就开始用粒子加速器来粉碎原子。加速器用强大的磁力使原子以惊人的速度运动，去撞击更多原子。科学家发现通过这些冲击，产生了令人难以置信的多种碎片（或者如他们所称的粒子）。

1946年，美国科学家默里·盖尔曼对粒子进行了分类。盖尔曼用先进的数学计算出原子核的基本构件是许多更小的称为夸克的粒子，通过更小的称为胶子的粒子把夸克维系在一起。真是相当奇妙的世界。

你敢去发现……胶子如何起作用的吗

你所需要的：
一个足球和朋友

你所要做的：
1. 你和你的朋友必须在你俩之间往复地抛球，当你拿到球时立即抛回去。
2. 无论发生什么情况，你不能让球落地，如果球要落地，你们每人必须向前走一大步以更接近对方。

你们注意到什么？
a）我们感觉似乎被球粘到了一起。

b）球落在地上，你们最终以鼻子相撞而结束。

c）尽管我们俩都没有掉球，但觉得被一种奇怪的力吸引在一起。

答案

　　a），球就像胶子。虽然它没有真正使你们粘在一起，但是玩这个游戏时，分开是很困难的。

你肯定不知道！

　　默里·盖尔曼是如此聪明，当他进了一所为聪明孩子特别设立的学校时，发现课程很没意思，因为那些课不够难，而且他也不喜欢物理。15岁时，他进入大学，发现自己只对大学阶段的科目感兴趣。

大难题

　　同时，其他科学家对是否有一种能解释宇宙中所有力的统一场论感到迷惑。记得爱因斯坦吗？记得他如何尽力解释引力和电磁力的吗？嗯，现在科学家已经知道在原子内部有两种以上的力在起作用。

艰难的科学档案

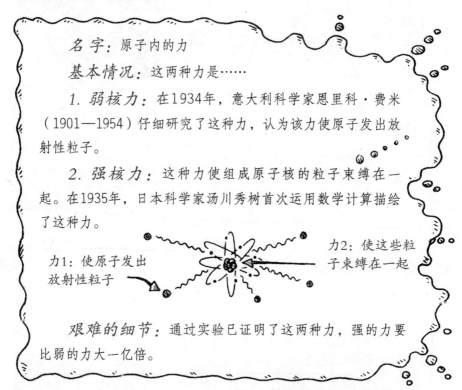

名字：原子内的力

基本情况：这两种力是……

　1. 弱核力：在1934年，意大利科学家恩里科·费米（1901—1954）仔细研究了这种力，认为该力使原子发出放射性粒子。

　2. 强核力：这种力使组成原子核的粒子束缚在一起。在1935年，日本科学家汤川秀树首次运用数学计算描绘了这种力。

力1：使原子发出放射性粒子

力2：使这些粒子束缚在一起

　艰难的细节：通过实验已证明了这两种力，强的力要比弱的力大一亿倍。

但物理学家还不满意，对于他们来说，最终目的是建立一个TOE或GUT。你说什么？

可怕的表达

这上面说什么呢？

不知道，从来没听说过。

答案

TOE是凡事理论的缩写，GUT是统一场论的缩写。它们指的是同一件事：就是用一组简单的数学方程来解释电磁力（就是电力和磁力）和原子里的那两种力。但是物理学家不会满意的，直到他们把重力也统一到他们的理论中去。

爱因斯坦用了数年寻求该理论，现在，许多物理学家，如斯特凡·霍金（见第83页）也专注研究该理论。没有人准确知道它是什么。但在1984年，英国物理学家米切米·格仑和美国人约翰·施瓦兹宣称，假设粒子不是点而是弦——像环一样的细线，那么他们的计算能包含所有的力。

这一切听起来非常奇异，对吗？你可能也觉得因为它的怪诞而具有诱惑力，也许你决定要当一名物理学家。设想你是最终完成统一场论的人，诺贝尔奖肯定非你莫属了，你还会变得非常出名，并被当做最伟大科学家之一而永垂青史。

但稍等——那并不容易。在你之前的科学家是什么样的？看看那么多科学家遇到的艰苦和困难，甚至牺牲。因此，大难题在这儿，你真想成为科学家吗？我的意思是，值得受苦吗？

还想成为科学家吗

嗯，对于那些科学先驱们，看到别人也准备为科学而受苦，他们肯定高兴。如果没有他们为科学受苦，你会在哪儿呢？继续读并发现……

不同的世界

你走出学校的大门，结束了受苦的一天，感觉相当疲倦。你是如此疲倦，以至于你没有注意到你已进入另一个世界。

大街上有很多怪事，没有汽车，只有马车。但没有人肯捎上你，等了好长时间之后，你走了很长很长的路才回到家。

除了几盏油灯之外，你们家一片漆黑，当你问电视机在哪儿，你爸爸看起来迷惑不解。电视机、录像机连同冰箱、微波炉、CD机都不见了。

后来，你妈妈进来了，问你的炼金术课怎么样了，是否学到什么好的符咒。

现在轮到你迷惑不解了。

你饿了，请求妈妈给些茶点。

你妈妈说："好的，亲爱的，这是你最喜爱的东西——燕麦粥。"

你本想问果子冻呢，但后来想想燕麦粥就燕麦粥吧，你的父母显然完全疯了。粥看起来很糟，吃起来也一样糟。然后，你上床睡觉。在浴室里，牙膏、香皂、连同抽水马桶、浴盆、橡皮鸭子等也都不见了，所以你只好用凉水漱口，并浇了一点用来洗脸。令人发痒的冰冷的床，粗糙编织的床单。无线电遥控飞机和电动航天飞机模型，被木制的玩具娃娃和铁环所代替。

早上，你睁开眼，看了看你的房间，除了坚硬的粗糙雕刻木制家具外，几乎一无所有。因此，那不是噩梦，是真的发生了。一旦你尝了早上的粥，一旦你再一次步行到学校，你确定那是真的。你思考着，你在想你在哪儿，发生了什么。哦，对了，今天又要上科学课了。

科学？！

是的，那就是与科学有关的一切，你注意到你妈妈称它为"炼金术"，那就是说，你已跌入一个根本不存在科学的世界。一个没有科学技术——电、果子冻、牙膏、电视、汽车和舒适的床——的世界。那些东西不存在，因为发明它们的科学家也不曾存在。没有法拉第，没有电，没有塑料，没有无线电，一切都没有。

当你步入学校大门时，你祈祷至少学校会正常。你从来没有想过应不顾一切地去上科学课。你冥思苦想，以至于不知不觉穿过一个泛着微光的洞，一下子又回到了你当初的世界中。直到你往回看，看见汽车、公交车、正常的街景等，你发现得救了。科学救了你。

当然，没有科学发现，生活将是悲惨的，但是科学家研究科学并不仅仅是为了让我们感到生活舒适。是的，这儿有人们想成为科学家的充分理由。

本书中的每位科学家都很享受那种感觉，因为他们认为科学是迷人的，即使那是恐惧的，那也是恐惧的迷人，令人惊奇，甚至令人兴奋。虽然科学课可能枯燥，但真正的科学从不枯燥。

让我们看一看，法国科学家米切尔·谢福勒（1786—1889），他研究动物脂肪。在1823年，他发现脂肪可以分解为其他化学物质。103岁时，他逝世了。他的一生从没退休，他对科学从未厌倦，甚至在90岁时，他开始研究年龄的问题。

怎么样，你真想成为科学家吗？好的，无论你决定做什么，记住一件事，科学是可怕的，是的，但为了成为科学家受苦也是值得的。

那是可怕的真理！

"经典科学"系列（26册）

肚子里的恶心事儿
丑陋的虫子
显微镜下的怪物
动物惊奇
植物的咒语
臭屁的大脑
神奇的肢体碎片
身体使用手册
杀人疾病全记录
进化之谜
时间揭秘
触电惊魂
力的惊险故事
声音的魔力
神秘莫测的光
能量怪物
化学也疯狂
受苦受难的科学家
改变世界的科学实验
魔鬼头脑训练营
"末日"来临
鏖战飞行
目瞪口呆话发明
动物的狩猎绝招
恐怖的实验
致命毒药

"经典数学"系列（12册）

要命的数学
特别要命的数学
绝望的分数
你真的会＋－×÷吗
数字——破解万物的钥匙
逃不出的怪圈——圆和其他图形
寻找你的幸运星——概率的秘密
测来测去——长度、面积和体积
数学头脑训练营
玩转几何
代数任我行
超级公式

"科学新知"系列（17册）

破案术大全
墓室里的秘密
密码全攻略
外星人的疯狂旅行
魔术全揭秘
超级建筑
超能电脑
电影特技魔法秀
街上流行机器人
美妙的电影
我为音乐狂
巧克力秘闻
神奇的互联网
太空旅行记
消逝的恐龙
艺术家的魔法秀
不为人知的奥运故事

"自然探秘"系列（12册）

惊险南北极
地震了！快跑！
发威的火山
愤怒的河流
绝顶探险
杀人风暴
死亡沙漠
无情的海洋
雨林深处
勇敢者大冒险
鬼怪之湖
荒野之岛

"体验课堂"系列（4册）

体验丛林
体验沙漠
体验鲨鱼
体验宇宙

"中国特辑"系列（1册）

谁来拯救地球